GERMAN SHORT STORIES

1900 — 1945

GERMAN SHORT STORIES
1900–1945

SELECTED AND EDITED BY

H. M. WAIDSON, M.A., D.Phil.

Senior Lecturer in German at the University of Hull

CAMBRIDGE
AT THE UNIVERSITY PRESS
1959

PUBLISHED BY

THE SYNDICS OF THE CAMBRIDGE UNIVERSITY PRESS

Bentley House, 200 Euston Road, London, N.W. 1
American Branch: 32 East 57th Street, New York 22, N.Y.

Also edited by H. M. Waidson

GERMAN SHORT STORIES 1945—1955

Cambridge University Press

Printed in the Netherlands
by Joh. Enschedé en Zonen, Haarlem

CONTENTS

v

INTRODUCTION*

THE new year 1900 was understandably greeted by many people as a numerically suitable occasion for turning over a new leaf. One history of modern German literature (by H. Naumann) quotes on its title-page these lines by the poet Rilke:

> Man fühlt den Glanz von einer neuen Seite,
> Auf der noch alles werden kann.

It is convenient to talk about twentieth-century literature as distinct from that of the previous century, and no doubt we have a rough and ready sense that German writing is different now in its themes and manner from what it was like seventy or eighty years ago. But it would be rash to assume that there is any one precise date which forms a watershed separating new and old. Perhaps from the point of view of social and political history the end of the German nineteenth century came with the outbreak of war in 1914. It is clear that the long-term stability of German life disappeared then, to be followed by a succession of rapidly changing forms of government, from the Social-Democratic Weimar Republic to the National-Socialist dictatorship of Hitler, and from the collapse of 1945 to the subsequent re-formation of Germany in two separate units, east and west. However, only one of the stories included in this volume, Stefan Zweig's *Episode am Genfer See*, has any direct reference to contemporary world events. Yet there is a sense in which all these tales belong to a climate of thought and feeling which separates them from that of their predecessors.

The major nineteenth-century German novelists after Goethe's death, Gotthelf, Stifter, Keller, Fontane and Raabe, have enough in common for them to be considered as significantly representative of a tradition which is largely realistic and which cherishes a regional spirit; they assume that middle-class family life, self-contained, often simple and usually in a country or small-town setting, is the way most people live or would like to live. These writers are by and large humane in their moral values, reflecting the background of the day-to-day life they knew with spontaneity and affection.

German Naturalism of the eighteen-eighties and -nineties remains memorable for its drama rather than its narrative prose. Its doctrine of a meticulous description of milieu, especially that of the urban proletariat, might be regarded technically as a self-conscious intensification of middle-class realism, though here is a defiance of traditional society in the name of scientific materialism and political reform or revolution. Contemporary with Naturalism was a new irrationalism which has probably made a more lasting impression on German prose in the first half of the twentieth century. Friedrich Nietzsche (1844–1900), drawing upon the composer Richard Wagner (1813–1883) and the philosopher Arthur Schopenhauer (1788–1860) as important sources of his outlook, expressed his revolt against the complacent prosperity of the new German Empire of 1871 in a "revaluation of all values" which was more sweeping and sophisticated than Naturalism in its aims. Anti-democratic and anti-Christian, Nietzsche's cult of vitality was linked with a longing to believe in the significance of the creative artist. The aspects of Nietzsche's influence on twentieth-century Germany are many, and the merit of this influence is controversial; but if much modern German prose style is sharper, subtler and more ironic than that of the mid-nineteenth century, this is in part due to him. Neo-Romanticism, with its affinities to French and English aestheticism of the eighteen-nineties, may be regarded as a more distinct turning-point in German literature than Naturalism, particularly if we associate with Nietzsche's influence that of the Viennese Sigmund Freud (1856–1939), whose revolutionary approach to psychology was crystallizing with the turn of the century. The poetry of Rilke and Stefan George, the poetry, prose and drama of Hofmannsthal at this time reveal a preoccupation with refinement of sensibility and sense-impressions and an attitude of aesthetic and intellectual self-consciousness that have contrasted with the more straightforward, more clearly defined and in some ways more credible world of the earlier realists. The aesthetic pessimism of the turn of the century has been freshly interpreted and reckoned with by German writers since 1945.

Thomas Mann's first published work consisted of short stories

(*Der kleine Herr Friedemann*, 1898), while *Buddenbrooks* (1901) established him as master of the longer novel form. In *Buddenbrooks* clinically detached observation over a wide panorama of society reveals its author's affinities both with regional realism and with doctrinaire Naturalism; at the same time Mann's concern with the themes of decay, disease and death and with the ironic detachment of the artist from the middle-class world from which he sprang shows his closeness in spirit at this time to Nietzsche and Neo-Romanticism. It was after the First World War that Thomas Mann repudiated the emotional loyalties of his early writings, and allied his sceptical humanism to a positive commitment to social democracy. He dominated German narrative fiction from the beginning of the century to his death. The unity of Mann's work is revealed in the continuity of the later writings with the earlier. Dissociating himself from literary schools, he could yet absorb with successful eclecticism traits from each decade that he lived through.

Hermann Hesse's Neo-Romantic beginnings were more subjectively direct and emotional than those of Thomas Mann; he published a volume of *Romantische Lieder* in 1899. The story with which he is represented here combines gentle irony with sentiment. It is one of a number of tales which depict a Swabian environment in idyllic terms. The local background and the whimsicality of the humour are presented in a manner reminiscent of the realists, in particular of Gottfried Keller's community, *Die Leute von Seldwyla*, or of the Romantics of the early nineteenth century. By no means all modern German writers have subscribed to the more polished, intellectual and urban approach to fiction which is characteristic of Thomas Mann, and the "small world" of this and comparable tales of Hesse has numerous parallels, though not always on a high level of literary achievement, in recent writing. A tale of our own time which returns to narrative methods and themes of an earlier period has to be outstanding in order to be fully convincing.

German narrative prose of the present century frequently allows everyday realism to be invaded by a world of imagination and symbolism, sometimes presented in psychological terms, at others as a direct incursion of the fantastic into daily life. Franz Kafka is the unequalled creator of situations where normality bends round into the grotesque and absurd. The lives of unpretentious city-dwellers are twisted into nightmarish parables reflecting psychological anguish, metaphysical speculation and spiritual striving. If Kafka was influenced by Jewish orthodoxy and by the theology of Pascal and Kierkegaard, he has in his turn impressed the force of his unique imagination on subsequent readers and writers, particularly on Surrealists and Existentialists in France and elsewhere. Expressionism was particularly influential in Germany during the First World War and for the next few years, above all in the drama. Its ecstatic radicalism echoed the political and social sympathies of the Naturalists, but at the same time it was more open to Romantic elements. Kafka was essentially solitary in his creative urges, but in so far as he had affinities with any literary movement, it was with Expressionism. Stefan Zweig's tale is less elusive than Kafka's; the theme of pity for suffering humanity is stated in direct, concrete terms.

The names of Robert Walser and Friedo Lampe are less well known than those of Thomas Mann, Hesse, Kafka or Stefan Zweig; there is less bulk and weight to their work than to that of many of their contemporaries, and neither of them ever played a role in public life. But the quality of their prose style is impressive by its lightness and deftness. Walser's sketches and short stories may be tenuous in plot, but their delicacy assures them a permanent place in twentieth-century literature. Stefan Zweig's *Episode am Genfer See*, set in Switzerland, is the work of an Austrian, while Walser's *Die kleine Berlinerin* is a quizzical portrait of a Berlin milieu seen through the eyes of the Swiss author. Friedo Lampe's impressionism brings both humour and the luminosity of poetry to a North Sea island holiday resort and to the group of people who happen to be there; his way of looking at life might be compared to that of Tchehov, whereas Hesse's stories of provincial life occasionally remind us of Arnold Bennett. If the work of Walser and Lampe has little topical impact, it has, like that of Kafka, though in a more miniature way, a quality of fineness and originality that has allowed it to be appreciated afresh by German readers of the nineteen-fifties.

How far may the term "short story" be used with reference to shorter narrative prose in German literature? The nineteenth century thought mostly in terms of the long, analytical *Bildungsroman*, going back to Goethe's *Wilhelm Meister*, which unfolds the development of a central character towards personality and purpose; or else in terms of the *Novelle*, the more concentrated narration of one dramatically sustained incident or series of incidents. The short story has a much more recognized position in English and American literature than it has in Germany. The demarcation line fencing off short story *(Kurzgeschichte)* from *Novelle*, or *Novelle* from novel *(Roman)*, is not easy to fix, especially when the different forms merge into one another. While there is plenty of matter for discussion concerning the form of the *Novelle*, the German short story lends itself less convincingly to precise definition, except in terms of length. The two stories by Thomas Mann included here were called *Novellen* by their author, though formally they have little in common with his *Tonio Kröger* or *Der Tod in Venedig*. Walser entitled collections of his shorter works *Aufsätze, Geschichten, Kleine Dichtungen, Kleine Prosa, Prosastücke, Skizzen*, and one can sympathize with the implied desire to elude being categorically pinned down which is evident here. There is no doubt that the short story has been growing in popularity and significance in Germany during the twentieth century, and especially recently; at the same time the traditional forms of the *Bildungsroman* and *Novelle* have continued to occupy creative writers in the years since 1945.

For permission to reprint the stories that follow I should like to thank Suhrkamp Verlag, Frankfurt am Main, for Hermann Hesse's *Die Verlobung*; Schocken Books Inc., New York, for Franz Kafka's *Ein Hungerkünstler*; (copyright 1946); Rowohlt Verlag, Hamburg, for Friedo Lampe's *Am Leuchtturm*; S. Fischer Verlag, Frankfurt am Main, for Thomas Mann's *Das Eisenbahnunglück* and *Das Wunderkind*; George G. Harrap & Co. Ltd for Stefan Zweig's *Episode am Genfer See*; Verlag Helmut Kossodo, for Robert Walser's *Die kleine Berlinerin*.

The following titles for further reading on twentieth-century German literature may help to describe the range of movements of thought as well as the work of many writers who, it was decided often with reluctance, could not be represented in this present volume.

Alker, E., *Geschichte der deutschen Literatur von Goethes Tod bis zur Gegenwart* (Stuttgart, 1949—1950).

Bennett, E. K., *A History of the German Novelle* (Cambridge, 1934).

Bithell, J., *Modern German Literature, 1880—1938* (1939).

Doderer, K., "Die Kurzgeschichte als literarische Form." *Wirkendes Wort*, vol. 8 (Düsseldorf, 1957).

Forster, Leonard, ed. *German Tales of Our Time* (1953).

Friedmann, H., and Mann, O., ed. *Deutsche Literatur im zwanzigsten Jahrhundert* (Heidelberg, 1954).

Grenzmann, W., *Deutsche Dichtung der Gegenwart* (Frankfurt am Main, 1953).

Kesten, H., ed. *Unsere Zeit. Die schönsten Erzählungen des zwanzigsten Jahrhunderts* (Cologne, 1956).

Kunz, J., *Geschichte der deutschen Novelle vom 18. Jahrhundert bis auf die Gegenwart*. In: *Deutsche Philologie im Aufriß*, ed. Stammler, W. (Berlin, Bielefeld and Munich, 1954).

Lange, V., *Modern German Literature. 1870—1940* (Ithaca, New York, 1945).

Lennartz, F., *Dichter und Schriftsteller unserer Zeit*, 6th. ed. (Stuttgart, 1954).

Majut, R., *Geschichte des deutschen Romans vom Biedermeier bis zur Gegenwart*. In: *Deutsche Philologie im Aufriß*, passim.

Martini, F., *Deutsche Literaturgeschichte von den Anfängen bis zur Gegenwart*, 4th. ed. (Stuttgart, 1952).

Waidson, H. M., ed. *German Short Stories 1945—1955* (Cambridge, 1957).

Waidson, H. M., *The Modern German Novel. A Mid-Twentieth Century Survey* (Oxford, 1959).

HULL, MARCH 1959   H. M. WAIDSON

THOMAS MANN

THOMAS MANN's childhood background of Lübeck, where he was born in 1875, is reflected most clearly in the Novelle Tonio Kröger (1903) and the family chronicle Buddenbrooks. Das Wunderkind (1903) is a sketch of a fashionable performer and his audience, presumably in Munich, where the author made his home from 1893 onwards. It illustrates in miniature form the problem of the artist's relation to society and of the questionable elements which Mann often saw in the inspiration of creative artists of much greater quality than this infant prodigy. Das Eisenbahnunglück (1907) is also satirical, like so much of its author's work, though in this case it is not an artist, but a train-load of travellers who are mockingly portrayed. These short stories show something of Mann's gifts of realism, irony and cool, psychological penetration.

Der Zauberberg (1924), the author's most important novel to appear since Buddenbrooks, revealed him as the didactic commentator upon the malaise of contemporary Europe. Mann was awarded the Nobel Prize for literature in 1929. He left Germany in 1933 and became a citizen of the United States, where he lived from 1938 to 1953. The last years before his death in 1955 were spent in Switzerland. During the later period of his life his energies as a writer were devoted mainly to the long novel, as in the biblical tetralogy Joseph und seine Brüder (1933—1942) and the political novel Doktor Faustus (1947). His last major publication was the first volume of his unfinished comic novel Felix Krull (1954).

The principal stimulus of Mann's work lies in the complex tensions he sees in the relationship of the artist to the community; in the earlier works he is interested in the problem primarily from the individual, psychological point of view, while later it is the question of the artist's active responsibility towards society which is in the foreground. In an essay Der Künstler und die Gesellschaft (1952) he wrote:

"Sie (die Kunst) ist dem guten verbunden, und auf ihrem Grunde ist Güte, der Weisheit verwandt, noch näher der Liebe.... Aus Einsamkeit immer aufs neue geboren, ist ihre Wirkung vereinigend... Sie ist keine Macht, sie ist nur ein Trost. Und doch — ein Spiel tiefsten Ernstes, Paradigma allen Strebens nach Vollendung, ist sie der Menschheit zur Begleiterin gegeben von Anfang an, und diese wird von ihrer Unschuld nie ganz das schuldgetrübte Auge wenden können."

Art, as defined here, is not a power but a consolation to man; it is linked with goodness, wisdom and love, and is thus seen as one of the higher, positive aspects of life.

Tonio Kröger has been edited with an introduction by E. M. Wilkinson (1944), and the two stories *Unordnung und frühes Leid* and *Mario und der Zauberer* by W. Witte (1957); *Selections from Thomas Mann* have been edited by F. Walter (1948). Most of Thomas Mann's writings have been translated into English, usually by Mrs H. T. Lowe-Porter. There are recent studies of Mann in English by H. C. Hatfield (1952), J. M. Lindsay (1954), R. Hinton Thomas (1956) and E. Heller (1958). For more detailed bibliographical references see: K. W. Jonas, *Fifty Years of Thomas Mann Studies* (Minneapolis, 1955).

DAS EISENBAHNUNGLÜCK

ETWAS erzählen? Aber ich weiß nichts. Gut, also ich werde etwas erzählen.

Einmal, es ist schon zwei Jahre her, habe ich ein Eisenbahnunglück mitgemacht; — alle Einzelheiten stehen mir klar vor Augen.

Es war keines vom ersten Range, keine allgemeine Harmonika[1] mit "unkenntlichen Massen" und so weiter, das nicht. Aber es war doch ein ganz richtiges Eisenbahnunglück mit Zubehör und obendrein zu nächtlicher Stunde. Nicht jeder hat das erlebt, und darum will ich es zum besten geben.

Ich fuhr damals nach Dresden, eingeladen von Förderern der Literatur. Eine Kunst- und Virtuosenfahrt also, wie ich sie von Zeit zu Zeit nicht ungern unternehme. Man repräsentiert, man tritt auf, man zeigt sich der jauchzenden Menge; man ist nicht umsonst ein

---

[1] *keine allgemeine Harmonika*: "no general concertina", i.e. not a serious railway accident, with carriages crushed together.

Untertan Wilhelms II. Auch ist Dresden ja schön[1] (besonders der Zwinger), und nachher wollte ich auf zehn, vierzehn Tage zum "Weißen Hirsch" hinauf, um mich ein wenig zu pflegen und, wenn, vermöge der "Applikationen" der Geist über mich käme, auch wohl zu arbeiten. Zu diesem Behufe hatte ich mein Manuskript zuunterst in meinen Koffer gelegt, zusammen mit dem Notizenmaterial, ein stattliches Konvolut, in braunes Packpapier geschlagen und mit starkem Spagat umwunden.

Ich reise gern mit Komfort, besonders wenn man es mir bezahlt. Ich benützte also den Schlafwagen, hatte mir tags zuvor ein Abteil erster Klasse gesichert und war geborgen. Trotzdem hatte ich Fieber, wie immer bei solchen Gelegenheiten, denn eine Abreise bleibt ein Abenteuer, und nie werde ich in Verkehrsdingen die rechte Abgebrühtheit gewinnen. Ich weiß ganz gut, daß der Nachtzug nach Dresden gewohnheitsmäßig jeden Abend vom Münchner Hauptbahnhof abfährt und jeden Morgen in Dresden ist. Aber wenn ich selber mitfahre und mein bedeutsames Schicksal mit dem seinen verbinde, so ist das eben doch eine große Sache. Ich kann mich dann der Vorstellung nicht entschlagen, als führe er einzig heute und meinetwegen, und dieser unvernünftige Irrtum hat natürlich eine stille, tiefe Erregung zur Folge, die mich nicht eher verläßt, als bis ich alle Umständlichkeiten der Abreise, das Kofferpacken, die Fahrt der belasteten Droschke zum Bahnhof, die Ankunft dortselbst, die Aufgabe des Gepäcks hinter mir habe und mich endgültig untergebracht und in Sicherheit weiß. Dann freilich tritt eine wohlige Abspannung ein, der Geist wendet sich neuen Dingen zu, die große Fremde eröffnet sich dort hinter den Bogen des Glasgewölbes, und freudige Erwartung beschäftigt das Gemüt.

So war es auch diesmal. Ich hatte den Träger meines Handgepäcks reich belohnt, so daß er die Mütze gezogen und mir angenehme Reise gewünscht hatte, und stand mit meiner Abendzigarre an

---

[1] *Auch ist Dresden ja schön*: The Zwinger, the eighteenth-century monumental square, with its museums and art-gallery, was one of the principal sights of Dresden. The "Weißer Hirsch" is a health-resort with a number of hotels and sanatoria on the hills overlooking the Elbe on the outskirts of Dresden.

3

einem Gangfenster des Schlafwagens, um das Treiben auf dem Perron zu betrachten. Da war Zischen und Rollen, Hasten, Abschiednehmen und das singende Ausrufen der Zeitungs- und Erfrischungsverkäufer, und über allem glühten die großen elektrischen Monde im Nebel des Oktoberabends. Zwei rüstige Männer zogen einen Handkarren mit großem Gepäck den Zug entlang nach vorn zum Gepäckwagen. Ich erkannte wohl an gewissen vertrauten Merkmalen meinen eigenen Koffer. Da lag er, ein Stück unter vielen, und auf seinem Grunde ruhte das kostbare Konvolut. Nun, dachte ich, keine Besorgnis, es ist in guten Händen! Sieh diesen Schaffner an mit dem Lederbandelier, dem gewaltigen Wachtmeisterschnauzbart und dem unwirsch wachsamen Blick. Sieh, wie er die alte Frau in der fadenscheinigen schwarzen Mantille anherrscht, weil sie um ein Haar in die zweite Klasse gestiegen wäre. Das ist der Staat, unser Vater, die Autorität und die Sicherheit. Man verkehrt nicht gern mit ihm, er ist streng, er ist wohl gar rauh, aber Verlaß, Verlaß ist auf ihn, und dein Koffer ist aufgehoben wie in Abrahams Schoß.

Ein Herr lustwandelt auf dem Perron, in Gamaschen und gelbem Herbstpaletot, einen Hund an der Leine führend. Nie sah ich ein hübscheres Hündchen. Es ist eine gedrungene Dogge, blank, muskulös, schwarz gefleckt und so gepflegt und drollig wie die Hündchen, die man zuweilen im Zirkus sieht und die das Publikum belustigen, indem sie aus allen Kräften ihres kleinen Leibes um die Manege rennen. Der Hund trägt ein silbernes Halsband, und die Schnur, daran er geführt wird, ist aus farbig geflochtenem Leder. Aber das alles kann nicht wundernehmen angesichts seines Herrn, des Herrn in Gamaschen, der sicher von edelster Abkunft ist. Er trägt ein Glas im Auge, was seine Miene verschärft, ohne sie zu verzerren, und sein Schnurrbart ist trotzig aufgesetzt, wodurch seine Mundwinkel wie sein Kinn einen verachtungsvollen und willensstarken Ausdruck gewinnen. Er richtet eine Frage an den martialischen Schaffner, und der schlichte Mann, der deutlich fühlt, mit wem er es zu tun hat, antwortet ihm, die Hand an der Mütze. Da wandelt der Herr weiter, zufrieden mit der Wirkung seiner Person. Er wandelt sicher in seinen Gamaschen, sein Antlitz ist kalt, scharf faßt er Menschen und Dinge ins Auge. Er ist weit entfernt vom Reisefieber, das sieht man klar; für ihn ist etwas so Gewöhnliches wie eine Abreise kein Abenteuer. Er ist zu Hause im Leben und ohne Scheu vor seinen Einrichtungen und Gewalten, er selbst gehört zu diesen Gewalten, mit einem Worte: ein Herr. Ich kann mich nicht satt an ihm sehen.[1]

Als es ihn an der Zeit dünkt, steigt er ein (der Schaffner wandte gerade den Rücken). Er geht im Korridor hinter mir vorbei, und obgleich er mich anstößt, sagt er nicht "Pardon!" Was für ein Herr! Aber das ist nichts gegen das Weitere, was nun folgt: Der Herr nimmt, ohne mit der Wimper zu zucken, seinen Hund mit sich in sein Schlafkabinett hinein! Das ist zweifellos verboten. Wie würde ich mich vermessen, einen Hund mit in den Schlafwagen zu nehmen. Er aber tut es kraft seines Herrenrechtes im Leben und zieht die Tür hinter sich zu.

Es pfiff, die Lokomotive antwortete, der Zug setzte sich sanft in Bewegung. Ich blieb noch ein wenig am Fenster stehen, sah die zurückbleibenden, winkenden Menschen, sah die eiserne Brücke, sah Lichter schweben und wandern... Dann zog ich mich ins Innere des Wagens zurück.

Der Schlafwagen war nicht übermäßig besetzt; ein Abteil neben dem meinen war leer, war nicht zum Schlafen eingerichtet, und ich beschloß, es mir auf eine friedliche Lesestunde darin bequem zu machen. Ich holte mein Buch und richtete mich ein. Das Sofa ist mit seidigem lachsfarbigem Stoff überzogen, auf dem Klapptischchen steht der Aschenbecher, das Gas brennt hell. Und rauchend las ich.

Der Schlafwagenkonduktour kommt dienstlich herein, er ersucht mich um mein Fahrscheinheft für die Nacht, und ich übergebe es seinen schwärzlichen Händen. Er redet höflich, aber rein amtlich, er spart sich den "Gute-Nacht!"-Gruß von Mensch zu Mensch und geht, um an das anstoßende Kabinett zu klopfen. Aber das hätte er lassen sollen, denn dort wohnte der Herr mit den Gamaschen, und sei es nun, daß der Herr seinen Hund nicht sehen lassen wollte oder daß er bereits zu Bett gegangen war, kurz, er wurde furchtbar zornig, weil man es unternahm, ihn zu stören, ja, trotz dem Rollen

---

[1] *Ich kann mich nicht satt an ihm sehen*: "I can't take my eyes off him."

des Zuges vernahm ich durch die dünne Wand den unmittelbaren und elementaren Ausbruch seines Grimmes. "Was ist denn?!" schrie er. "Lassen Sie mich in Ruhe — Affenschwanz!!" Er gebrauchte den Ausdruck "Affenschwanz", — ein Herrenausdruck, ein Reiter- und Kavaliersausdruck, herzstärkend anzuhören. Aber der Schlafwagenkondukteur legte sich aufs Unterhandeln, denn er mußte den Fahrschein des Herrn wohl wirklich haben, und da ich auf den Gang trat, um alles genau zu verfolgen, so sah ich mit an, wie schließlich die Tür des Herrn mit kurzem Ruck ein wenig geöffnet wurde und das Fahrscheinheft dem Kondukteur ins Gesicht flog, hart und heftig ins Gesicht. Er fing es mit beiden Armen auf, und obgleich er die eine Ecke ins Auge bekommen hatte, so daß es tränte, zog er die Beine zusammen und dankte, die Hand an der Mütze. Erschüttert kehrte ich zu meinem Buch zurück.

Ich erwäge, was etwa dagegen sprechen könnte, noch eine Zigarre zu rauchen, und finde, daß es so gut wie nichts ist. Ich rauche also noch eine im Rollen und Lesen[1] und fühle mich wohl und gedankenreich. Die Zeit vergeht, es wird zehn Uhr, halb elf Uhr oder mehr, die Insassen des Schlafwagens sind alle zur Ruhe gegangen, und schließlich komme ich mit mir überein, ein Gleiches zu tun.

Ich erhebe mich also und gehe in mein Schlafkabinett. Ein richtiges, luxuriöses Schlafzimmerchen, mit gepreßter Ledertapete, mit Kleiderhaken und vernickeltem Waschbecken. Das untere Bett ist schneeig bereitet, die Decke einladend zurückgeschlagen. O große Neuzeit! denke ich. Man legt sich in dieses Bett wie zu Hause, es bebt ein wenig die Nacht hindurch, und das hat zur Folge, daß man am Morgen in Dresden ist. Ich nahm meine Handtasche aus dem Netz, um etwas Toilette zu machen. Mit ausgestreckten Armen hielt ich sie über meinem Kopfe.

In diesem Augenblick geschieht das Eisenbahnunglück. Ich weiß es wie heute.

Es gab einen Stoß — aber mit "Stoß" ist wenig gesagt. Es war ein Stoß, der sich sofort als unbedingt bösartig kennzeichnete, ein in

---

[1] *Ich rauche also noch eine im Rollen und Lesen*: "I therefore smoke one more (cigar) while the train is rolling along and while I am reading."

sich abscheulich krachender Stoß und von solcher Gewalt, daß mir die Handtasche, ich weiß nicht wohin, aus den Händen flog und ich selbst mit der Schulter schmerzhaft gegen die Wand geschleudert wurde. Dabei war keine Zeit zur Besinnung. Aber was folgte, war ein entsetzliches Schlenkern des Wagens, und während seiner Dauer hatte man Muße sich zu ängstigen. Ein Eisenbahnwagen schlenkert wohl bei Weichen, bei scharfen Kurven, das kennt man. Aber dies war ein Schlenkern, daß man nicht stehen konnte, daß man von einer Wand zur andern geworfen wurde und dem Kentern des Wagens entgegensah. Ich dachte etwas sehr Einfaches, aber ich dachte es konzentriert und ausschließlich. Ich dachte: Das geht nicht gut, das geht nicht gut, das geht keinesfalls gut. Wörtlich so. Außerdem dachte ich: Halt! Halt! Halt! Denn ich wußte, daß, wenn der Zug erst stünde, sehr viel gewonnen sein würde. Und siehe, auf dieses mein stilles und inbrünstiges Kommando stand der Zug.

Bisher hatte Totenstille im Schlafwagen geherrscht. Nun kam der Schrecken zum Ausbruch. Schrille Damenschreie mischen sich mit den dumpfen Bestürzungsrufen von Männern. Neben mir höre ich "Hilfe!" rufen, und kein Zweifel, es ist die Stimme, die sich vorhin des Ausdrucks "Affenschwanz" bediente, die Stimme des Herrn in Gamaschen, seine von Angst entstellte Stimme. "Hilfe!" ruft er, und in dem Augenblick, wo ich den Gang betrete, auf dem die Fahrgäste zusammenlaufen, bricht er in seidenem Schlafanzug aus seinem Abteil hervor und steht da mit irren Blicken. "Großer Gott!" sagt er, "Allmächtiger Gott!" Und um sich gänzlich zu demütigen und so vielleicht seine Vernichtung abzuwenden, sagt er auch noch in bittendem Tone: "Lieber Gott...." Aber plötzlich besinnt er sich eines andern und greift zur Selbsthilfe. Er wirft sich auf das Wandschränkchen, in welchem für alle Fälle ein Beil und eine Säge hängen, schlägt mit der Faust die Glasscheibe entzwei, läßt aber, da er nicht gleich dazu gelangen kann, das Werkzeug in Ruh, bahnt sich mit wilden Püffen einen Weg durch die versammelten Fahrgäste, so daß die halbnackten Damen aufs neue kreischen, und springt ins Freie.

Das war das Werk eines Augenblicks. Ich spürte erst jetzt meinen Schrecken: eine gewisse Schwäche im Rücken, eine vorübergehende

Unfähigkeit, hinunterzuschlucken. Alles umdrängte den schwarz-händigen Schlafwagenbeamten, der mit roten Augen ebenfalls herbeigekommen war; die Damen, mit bloßen Armen und Schultern, rangen die Hände.

Das sei eine Entgleisung, erklärte der Mann, wir seien entgleist. Was nicht zutraf, wie sich später erwies. Aber siehe, der Mann war gesprächig unter diesen Umständen, er ließ seine amtliche Sachlich-keit dahinfahren, die großen Ereignisse lösten seine Zunge, und er sprach intim von seiner Frau. "Ich hab' noch zu meiner Frau gesagt: Frau, sag ich, mir ist ganz, als ob heut was passieren müßt'!" Na, und ob nun vielleicht nichts passiert sei.[1] Ja, darin gaben alle ihm recht. Rauch entwickelte sich im Wagen, dichter Qualm, man wußte nicht, woher, und nun zogen wir alle vor, uns in die Nacht hinaus-zubegeben.

Das war nur mittels eines ziemlich hohen Sprunges vom Trittbrett auf den Bahnkörper möglich, denn es war kein Perron vorhanden, und zudem stand unser Schlafwagen bemerkbar schief, auf die andere Seite geneigt. Aber die Damen, die eilig ihre Blößen bedeckt hatten, sprangen verzweifelt, und bald standen wir alle zwischen den Schie-nensträngen.

Es war fast finster, aber man sah doch, daß bei uns hinten den Wagen eigentlich nichts fehlte, obgleich sie schief standen. Aber vorn — fünfzehn oder zwanzig Schritte weiter vorn! Nicht umsonst hatte der Stoß in sich so abscheulich gekracht. Dort war eine Trüm-merwüste, — man sah ihre Ränder, wenn man sich näherte, und die kleinen Laternen der Schaffner irrten darüber hin.

Nachrichten kamen von dort, aufgeregte Leute, die Meldungen über die Lage brachten. Wir befanden uns dicht bei einer kleinen Station, nicht weit hinter Regensburg, und durch Schuld einer defekten Weiche war unser Schnellzug auf ein falsches Gleis geraten und in voller Fahrt einem Güterzug, der dort hielt, in den Rücken gefahren, hatte ihn aus der Station hinausgeworfen, seinen hinteren Teil zermalmt und selbst schwer gelitten. Die große Schnellzugs-

---

[1] *Na und ob nun vielleicht nichts passiert sei*: "Well, who could say now that perhaps nothing had happened?"

maschine von Maffei[1] in München war hin und entzwei. Preis siebzig-
tausend Mark. Und in den vorderen Wagen, die beinahe auf der
Seite lagen, waren zum Teil die Bänke ineinandergeschoben. Nein,
Menschenverluste waren gottlob nicht zu beklagen. Man sprach von
einer alten Frau, die "herausgezogen" worden sei, aber niemand
hatte sie gesehen. Jedenfalls waren die Leute durcheinander geworfen
worden, Kinder hatten unter Gepäck vergraben gelegen, und das
Entsetzen war groß. Der Gepäckwagen war zertrümmert. Wie
war das mit dem Gepäckwagen? Er war zertrümmert.

Da stand ich…

Ein Beamter läuft ohne Mütze den Zug entlang, es ist der Stationschef, und wild und weinerlich erteilt er Befehle an die Passagiere,
um sie in Zucht zu halten und von den Geleisen in die Wagen zu
schicken. Aber niemand achtet auf ihn, da er ohne Mütze und Haltung
ist. Beklagenswerter Mann! Ihn traf wohl die Verantwortung. Vielleicht war seine Laufbahn zu Ende, sein Leben zerstört. Es wäre
nicht taktvoll gewesen, ihn nach dem großen Gepäck zu fragen.

Ein anderer Beamter kommt daher, — er *hinkt* daher, und ich
erkenne ihn an seinem Wachtmeisterschnauzbart. Es ist der Schaffner,
der unwirsch wachsame Schaffner von heute abend, der Staat, unser
Vater. Er hinkt gebückt, die eine Hand auf sein Knie gestützt, und
kümmert sich um nichts als um dieses sein Knie. "Ach, ach!" sagte er.
"Ach!" — "Nun, nun, was ist denn?" — "Ach, mein Herr, ich steckte
ja dazwischen, es ging mir ja gegen die Brust, ich bin ja über das
Dach entkommen, ach ach!" — Dieses "über das Dach entkommen"
schmeckte nach Zeitungsbericht, der Mann brauchte bestimmt in
der Regel nicht das Wort "entkommen", er hatte nicht sowohl
sein Unglück, als vielmehr einen Zeitungsbericht über sein Unglück
erlebt, aber was half mir das? Er war nicht in dem Zustande, mir
Auskunft über mein Manuskript zu geben. Und ich fragte einen
jungen Menschen, der frisch, wichtig und angeregt von der Trüm-
merwüste kam, nach dem großen Gepäck.

[1] *Maffei*: the locomotive- and machine-construction firm of J. A. Maffei in
Munich. Those interested in German railways will find illustrated information
in the article *Eisenbahn* in *Der große Brockhaus*, Wiesbaden, 1953—7.

"Ja, mein Herr, das weiß niemand nicht, wie es da ausschaut!"
Und sein Ton bedeutete mir, daß ich froh sein sollte, mit heilen
Gliedern davongekommen zu sein. "Da liegt alles durcheinander.
Damenschuhe..." sagte er mit einer wilden Vernichtungsgebärde
und zog die Nase kraus. "Die Räumungsarbeiten müssen es zeigen.
Damenschuhe..."

Da stand ich. Ganz für mich allein stand ich in der Nacht zwischen
den Schienensträngen und prüfte mein Herz. Räumungsarbeiten.
Es sollten Räumungsarbeiten mit meinem Manuskript vorgenommen
werden. Zerstört also, zerfetzt, zerquetscht wahrscheinlich. Mein
Bienenstock, mein Kunstgespinst, mein kluger Fuchsbau, mein
Stolz und meine Mühsal, das Beste von mir. Was würde ich tun,
wenn es sich so verhielt? Ich hatte keine Abschrift von dem, was
schon dastand, schon fertig gefügt und geschmiedet war, schon lebte
und klang, — zu schweigen von meinen Notizen und Studien, meinen
ganzen in Jahren zusammengetragenen, erworbenen, erhorchten,
erschlichenen, erlittenen Hamsterschatz von Material. Was würde
ich also tun? Ich prüfte mich genau, und ich erkannte, daß ich von
vorn beginnen würde. Ja, mit tierischer Geduld, mit der Zähigkeit
eines tiefstehenden Lebewesens, dem man das wunderliche und
komplizierte Werk seines kleinen Scharfsinnes und Fleißes zerstört
hat, würde ich nach einem Augenblick der Verwirrung und Ratlosigkeit das Ganze wieder von vorn beginnen, und vielleicht würde es
diesmal ein wenig leichter gehen...

Aber unterdessen war Feuerwehr eingetroffen, mit Fackeln, die
rotes Licht über die Trümmerwüste warfen, und als ich nach vorn
ging, um nach dem Gepäckwagen zu sehen, da zeigte es sich, daß
er fast heil war, und daß den Koffern nichts fehlte. Die Dinge und
Waren, die dort zerstreut lagen, stammten aus dem Güterzuge,
eine unzählige Menge Spagatknäueln zumal, ein Meer von Spagatknäueln, das weithin den Boden bedeckte.

Da ward mir leicht, und ich mischte mich unter die Leute, die
standen und schwatzten und sich anfreundeten gelegentlich ihres
Mißgeschickes und aufschnitten und sich wichtig machten. So viel
schien sicher, daß der Zugführer sich brav benommen und großem

Unglück vorgebeugt hatte, indem er im letzten Augenblick die Notbremse gezogen. Sonst, sagte man, hätte es unweigerlich eine allgemeine Harmonika gegeben, und der Zug wäre wohl auch die ziemlich hohe Böschung zur Linken hinabgestürzt. Preiswürd'ger Zugführer! Er war nicht sichtbar, niemand hatte ihn gesehen. Aber sein Ruhm verbreitete sich den ganzen Zug entlang, und wir alle lobten ihn in seiner Abwesenheit. "Der Mann", sagte ein Herr und wies mit der ausgestreckten Hand irgendwohin in die Nacht, "der Mann hat uns alle gerettet." Und jeder nickte dazu.

Aber unser Zug stand auf einem Geleise, das ihm nicht zukam, und darum galt es, ihn nach hinten zu sichern, damit ihm kein anderer in den Rücken fahre. So stellten sich Feuerwehrleute mit Pechfackeln am letzten Wagen auf, und auch der angeregte junge Mann, der mich so sehr mit seinen Damenstiefeln geängstigt, hatte eine Fackel ergriffen und schwenkte sie signalisierend, obgleich in aller Welt kein Zug zu sehen war.

Und mehr und mehr kam etwas wie Ordnung in die Sache, und der Staat, unser Vater, gewann wieder Haltung und Ansehen. Man hatte telegraphiert und alle Schritte getan, ein Hilfszug aus Regensburg dampfte behutsam in die Station, und große Gasleuchtapparate mit Reflektoren wurden an der Trümmerstätte aufgestellt. Wir Passagiere wurden nun ausquartiert und angewiesen, im Stationshäuschen unserer Weiterbeförderung zu harren. Beladen mit unserem Handgepäck und zum Teil mit verbundenen Köpfen zogen wir durch ein Spalier von neugierigen Eingeborenen in das Warteräumchen ein, wo wir uns, wie es gehen wollte, zusammenpferchten. Und abermals nach einer Stunde war alles aufs Geratewohl in einem Extrazuge verstaut.

Ich hatte einen Fahrschein erster Klasse (weil man mir die Reise bezahlte), aber das half mir gar nichts, denn jedermann gab der ersten Klasse den Vorzug, und diese Abteile waren noch voller als die anderen. Jedoch, wie ich eben mein Plätzchen gefunden, wen gewahre ich mir schräg gegenüber, in eine Ecke gedrängt? Den Herrn mit den Gamaschen und den Reiterausdrücken, meinen Helden. Er hat sein Hündchen nicht bei sich, man hat es ihm genommen, es sitzt, allen Herrenrechten zuwider, in einem finsteren Verlies gleich hinter der Lokomotive und heult. Der Herr hat auch einen gelben Fahrschein, der ihm nichts nützt, und er murrt, er macht einen Versuch, sich aufzulehnen gegen den Kommunismus, gegen den großen Ausgleich vor der Majestät des Unglücks. Aber ein Mann antwortet ihm mit biederer Stimme: "San S' froh,[1] daß Sie sitzen!" Und sauer lächelnd ergibt sich der Herr in die tolle Lage.

Wer kommt herein, gestützt auf zwei Feuerwehrmänner? Eine kleine Alte, ein Mütterchen mit zerschlissener Mantille, dasselbe, das um ein Haar in die zweite Klasse gestiegen wäre. "Ist dies die erste Klasse?" fragte sie immer wieder. "Ist dies auch wirklich die erste Klasse?" Und als man es ihr versichert und ihr Platz macht, sinkt sie mit einem "Gottlob!" auf das Plüschkissen nieder, als ob sie erst jetzt gerettet sei.

In Hof [2] war es fünf Uhr und hell. Dort gab es Frühstück, und dort nahm ein Schnellzug mich auf, der mich und das Meine mit dreistündiger Verspätung nach Dresden brachte.

Ja, das war das Eisenbahnunglück, das ich erlebte. Einmal mußte es ja wohl sein. Und obgleich die Logiker Einwände machen, glaube ich nun doch gute Chancen zu haben, daß mir sobald nicht wieder dergleichen begegnet.

DAS WUNDERKIND

Das Wunderkind kommt herein; — im Saale wird's still.

Es wird still, und dann beginnen die Leute zu klatschen, weil irgendwo seitwärts ein geborener Herrscher und Herdenführer zuerst in die Hände geschlagen hat. Sie haben noch nichts gehört, aber sie klatschen Beifall; denn ein gewaltiger Reklameapparat hat dem Wunderkinde vorgearbeitet, und die Leute sind schon betört, ob sie es wissen oder nicht.

Das Wunderkind kommt hinter einem prachtvollen Wandschirm

---

[1] *"San S' froh"* (*"Seien Sie froh"*): "Think yourself lucky that you've got a seat."
[2] *Hof*: town on the railway line Munich-Regensburg-Dresden.

hervor, der ganz mit Empirekränzen und großen Fabelblumen bestickt ist, klettert hurtig die Stufen zum Podium empor und geht in den Applaus hinein, wie in ein Bad, ein wenig fröstelnd, von einem kleinen Schauer angeweht, aber doch wie in ein freundliches Element. Es geht an den Rand des Podiums vor, lächelt, als sollte es photographiert werden, und dankt mit einem kleinen, schüchternen und lieblichen Damengruß, obgleich es ein Knabe ist.

Es ist ganz in weiße Seide gekleidet, was eine gewisse Rührung im Saale verbreitet. Es trägt ein weißseidenes Jäckchen von phantastischem Schnitt mit einer Schärpe darunter, und sogar seine Schuhe sind aus weißer Seide. Aber gegen die weißseidenen Höschen stechen scharf die bloßen Beinchen ab, die ganz braun sind; denn es ist ein Griechenknabe.

Bibi Saccellaphylaccas heißt er. Dies ist einmal sein Name. Von welchem Vornamen "Bibi" die Abkürzung oder Koseform ist, weiß niemand, ausgenommen der Impresario, und der betrachtet es als Geschäftsgeheimnis. Bibi hat glattes, schwarzes Haar, das ihm bis zu den Schultern hinabhängt und trotzdem seitwärts gescheitelt und mit einer kleinen seidenen Schleife aus der schmal gewölbten, bräunlichen Stirn zurückgebunden ist. Er hat das harmloseste Kindergesichtchen von der Welt, ein unfertiges Näschen und einen ahnungslosen Mund; nur die Partie unter seinen pechschwarzen Mausaugen ist schon ein wenig matt und von zwei Charakterzügen deutlich begrenzt. Er sieht aus, als sei er neun Jahre alt, zählt aber erst acht und wird für siebenjährig ausgegeben. Die Leute wissen selbst nicht, ob sie es eigentlich glauben. Vielleicht wissen sie es besser und glauben dennoch daran, wie sie es in so manchen Fällen zu tun gewohnt sind. Ein wenig Lüge, denken sie, gehört zur Schönheit. Wo, denken sie, bliebe die Erbauung und Erhebung nach dem Alltag, wenn man nicht ein bißchen guten Willen mitbrächte, fünf gerade sein zu lassen? Und sie haben ganz recht in ihren Leutehirnen![1]

---

[1] *fünf gerade sein zu lassen? Und sie haben ganz recht in ihren Leutehirnen:* "not to be overparticular. And they are quite right, these people with their ordinary brains!"

Das Wunderkind dankt, bis das Begrüßungsgeprassel sich legt; dann geht es zum Flügel, und die Leute werfen einen letzten Blick auf das Programm. Zuerst kommt "Marche solennelle", dann "Rêverie" und dann "Le hibou et les moineaux", — alles von Bibi Saccellaphylaccas. Das ganze Programm ist von ihm, es sind seine Kompositionen. Er kann sie zwar nicht aufschreiben, aber er hat sie alle in seinem kleinen ungewöhnlichen Kopf, und es muß ihnen künstlerische Bedeutung zugestanden werden, wie ernst und sachlich auf den Plakaten vermerkt ist, die der Impresario abgefaßt hat. Es scheint, daß der Impresario dieses Zugeständnis seiner kritischen Natur in harten Kämpfen abgerungen hat.

Das Wunderkind setzt sich auf den Drehsessel und angelt mit seinen Beinchen nach den Pedalen, die vermittels eines sinnreichen Mechanismus viel höher angebracht sind als gewöhnlich, damit Bibi sie erreichen kann. Es ist sein eigener Flügel, den er überallhin mitnimmt. Er ruht auf Holzböcken, und seine Politur ist ziemlich strapaziert von den vielen Transporten; aber das alles macht die Sache nur interessanter.

Bibi setzt seine weißseidenen Füße auf die Pedale; dann macht er eine kleine spitzfindige Miene, sieht geradeaus und hebt die rechte Hand. Es ist ein bräunlich naives Kinderhändchen, aber das Gelenk ist stark und unkindlich und zeigt hart ausgearbeitete Knöchel.

Seine Miene macht Bibi für die Leute, weil er weiß, daß er sie ein wenig unterhalten muß. Aber er selbst für sein Teil hat im stillen sein besonderes Vergnügen bei der Sache, ein Vergnügen, das er niemandem beschreiben könnte. Es ist dieses prickelnde Glück, dieser heimliche Wonneschauer, der ihn jedesmal überrieselt, wenn er wieder an einem offenen Klavier sitzt, — er wird das niemals verlieren. Wieder bietet sich ihm die Tastatur dar, diese sieben schwarzweißen Oktaven, unter denen er sich so oft in Abenteuer und tief erregende Schicksale verloren, und die doch wieder so reinlich und unberührt erscheinen wie eine geputzte Zeichentafel. Es ist die Musik, die ganze Musik, die vor ihm liegt! Sie liegt vor ihm ausgebreitet wie ein lockendes Meer, und er kann sich hineinstürzen und selig schwimmen, sich tragen und entführen lassen und im Sturme gänzlich untergehen, und dennoch dabei die Herrschaft in Händen halten, regieren und verfügen... Er hält seine rechte Hand in der Luft. Im Saal ist atemlose Stille. Es ist diese Spannung vor dem ersten Ton... Wie wird es anfangen? So fängt es an. Und Bibi holt mit seinem Zeigefinger den ersten Ton aus dem Flügel, einen ganz unerwartet kraftvollen Ton in der Mittellage, ähnlich einem Trompetenstoß. Andere fügen sich daran, eine Introduktion ergibt sich, — man löst die Glieder.

Es ist ein prunkhafter Saal, gelegen in einem modischen Gasthof ersten Ranges, mit rosig fleischlichen Gemälden an den Wänden, mit üppigen Pfeilern, umschnörkelten Spiegeln und einer Unzahl, einem wahren Weltensystem von elektrischen Glühlampen, die in Dolden, in ganzen Bündeln überall hervorsprießen und den Raum mit einem weit übertaghellen, dünnen, goldigen, himmlischen Licht durchzittern... Kein Stuhl ist unbesetzt, ja selbst in den Seitengängen und dem Hintergrunde stehen die Leute. Vorn, wo es zwölf Mark kostet (denn der Impresario huldigt dem Prinzip der ehrfurchtgebietenden Preise), reiht sich die vornehme Gesellschaft; es ist in den höchsten Kreisen ein lebhaftes Interesse für das Wunderkind vorhanden. Man sieht viele Uniformen, viel erwählten Geschmack der Toilette... Sogar eine Anzahl von Kindern ist da, die auf wohlerzogene Art ihre Beine vom Stuhl hängen lassen und mit glänzenden Augen ihren kleinen begnadeten weißseidenen Kollegen betrachten...

Vorn links sitzt die Mutter des Wunderkindes, eine äußerst beleibte Dame, mit gepudertem Doppelkinn und einer Feder auf dem Kopf, und an ihrer Seite der Impresario, ein Herr von orientalischem Typus mit großen goldenen Knöpfen an den weit hervorstehenden Manschetten. Aber vorn in der Mitte sitzt die Prinzessin. Es ist eine kleine, runzelige, verschrumpfte alte Prinzessin, aber sie fördert die Künste, soweit sie zartsinnig sind. Sie sitzt in einem tiefen Sammetfauteuil, und zu ihren Füßen sind Perserteppiche ausgebreitet. Sie hält die Hände dicht unter der Brust auf ihrem grau gestreiften Seidenkleid zusammengelegt, beugt den Kopf zur Seite und bietet ein Bild vornehmen Friedens, indes sie dem arbeitenden Wunderkinde zuschaut. Neben ihr sitzt ihre Hofdame, die sogar ein grün

gestreiftes Seidenkleid trägt. Aber darum ist sie doch nur eine Hofdame und darf sich nicht einmal anlehnen.

Bibi schließt unter großem Gepränge. Mit welcher Kraft dieser
Knirps den Flügel behandelt! Man traut seinen Ohren nicht. Das
Thema des Marsches, eine schwunghafte, enthusiastische Melodie
bricht in voller harmonischer Ausstattung noch einmal hervor,
breit und prahlerisch, und Bibi wirft bei jedem Takt den Oberkörper
zurück, als marschierte er triumphierend im Festzuge. Dann schließt
er gewaltig, schiebt sich gebückt und seitwärts vom Sessel herunter
und lauert lächelnd auf den Applaus.

Und der Applaus bricht los, einmütig, gerührt, begeistert: Seht
doch, was für zierliche Hüften das Kind hat, indes es seinen kleinen
Damengruß exekutiert! Klatscht, klatscht! Wartet, nun ziehe ich
meine Handschuhe aus. Bravo, kleiner Saccophylax oder wie du
heißt —! Aber das ist ja ein Teufelskerl! — —

Bibi muß dreimal wieder hinter dem Wandschirm hervorkommen,
ehe man Ruhe gibt. Einige Nachzügler, verspätete Ankömmlinge,
drängen von hinten herein und bringen sich mühsam im vollen Saale
unter. Dann nimmt das Konzert seinen Fortgang.

Bibi säuselt seine "Rêverie", die ganz aus Arpeggien besteht, über
welche sich manchmal mit schwachen Flügeln ein Stückchen Melodie
erhebt; und dann spielt er "Le hibou et les moineaux". Dieses Stück
hat durchschlagenden Erfolg, übt eine zündende Wirkung. Es ist
ein richtiges Kinderstück und von wunderbarer Anschaulichkeit.
Im Baß sieht man den Uhu sitzen und grämlich mit seinen Schleier-
augen klappen, indes im Diskant zugleich frech und ängstlich die
Spatzen schwirren, die ihn necken wollen. Bibi wird viermal hervor-
gejubelt nach dieser Pièce. Ein Hotelbedienter mit blanken Knöpfen
trägt ihm drei große Lorbeerkränze aufs Podium hinauf und hält sie
von der Seite vor ihn hin, während Bibi grüßt und dankt. Sogar die
Prinzessin beteiligt sich an dem Applaus, indem sie ganz zart ihre
flachen Hände gegeneinander bewegt, ohne daß es irgendeinen Laut
ergibt…

Wie dieser kleine versierte Wicht den Beifall hinzuziehen versteht!
Er läßt hinter dem Wandschirm auf sich warten, versäumt sich ein

bißchen auf den Stufen zum Podium, betrachtet mit kindischem Vergnügen die bunten Atlasschleifen der Kränze, obgleich sie ihn längst schon langweilen, grüßt lieblich und zögernd und läßt den Leuten Zeit, sich auszutoben, damit nichts von dem wertvollen Geräusch ihrer Hände verlorengehe. "Le hibou" ist mein Reißer, denkt er; denn diesen Ausdruck hat er vom Impresario gelernt. Nachher kommt die Fantaisie, die eigentlich viel besser ist, besonders die Stelle, wo es nach Cis geht. Aber ihr habt ja an diesem hibou einen Narren gefressen, ihr Publikum, obgleich er das erste und dümmste ist, was ich gemacht habe. Und er dankt lieblich.

Dann spielt er eine Meditation und dann eine Etude; — es ist ein ordentlich umfangreiches Programm. Die Meditation geht ganz ähnlich wie die "Rêverie", was kein Einwand gegen sie ist, und in der Etude zeigt Bibi all seine technische Fertigkeit, die übrigens hinter seiner Erfindungsgabe ein wenig zurücksteht. Aber dann kommt die Fantaisie. Sie ist sein Lieblingsstück. Er spielt sie jedesmal ein bißchen anders, behandelt sie frei und überrascht sich zuweilen selbst dabei[1] durch neue Einfälle und Wendungen, wenn er seinen guten Abend hat.

Er sitzt und spielt, ganz klein und weiß glänzend vor dem großen, schwarzen Flügel, allein und auserkoren auf dem Podium über der verschwommenen Menschenmasse, die zusammen nur eine dumpfe, schwer bewegliche Seele hat, auf die er mit seiner einzelnen und herausgehobenen Seele wirken soll... Sein weiches, schwarzes Haar ist ihm mitsamt der weißseidenen Schleife in die Stirn gefallen, seine starkknochigen, trainierten Handgelenke arbeiten, und man sieht die Muskeln seiner bräunlichen, kindlichen Wangen erbeben.

Zuweilen kommen Sekunden des Vergessens und Alleinseins, wo seine seltsamen, matt umränderten Mausaugen zur Seite gleiten, vom Publikum weg auf die bemalte Saalwand an seiner Seite, durch die sie hindurchblicken, um sich in einer ereignisvollen, von vagem Leben erfüllten Weite zu verlieren. Aber dann zuckt ein Blick aus dem

---

[1] *und überrascht sich zuweilen selbst dabei*: "and sometimes surprises himself while he is about it".

Augenwinkel zurück in den Saal, und er ist wieder vor den Leuten.
"Klage und Jubel, Aufschwung und tiefer Sturz..., Meine Fantaisie!" denkt Bibi ganz liebevoll. "Hört doch, nun kommt die Stelle
wo es nach Cis geht!" Und er läßt die Verschiebung spielen, indes es
nach Cis geht. Ob sie es merken? Ach nein, bewahre, sie merken es
nicht! Und darum vollführt er wenigstens einen hübschen Augenaufschlag zum Plafond, damit sie doch etwas zu sehen haben.

Die Leute sitzen in langen Reihen und sehen dem Wunderkinde zu.
Sie denken auch allerlei in ihren Leutehirnen. Ein alter Herr mit
einem weißen Bart, einem Siegelring am Zeigefinger und einer knol-
ligen Geschwulst auf der Glatze, einem Auswuchs, wenn man will,
denkt bei sich: "Eigentlich sollte man sich schämen. Man hat es nie
über 'Drei Jäger aus Kurpfalz' hinausgebracht, und da sitzt man nun
als eisgrauer Kerl und läßt sich von diesem Dreikäsehoch Wunderdinge vormachen.[1] Aber man muß bedenken, daß es von oben
kommt. Gott verteilt seine Gaben, da ist nichts zu tun, und es ist
keine Schande, ein gewöhnlicher Mensch zu sein. Es ist etwas wie
mit dem Jesuskind. Man darf sich vor einem Kinde beugen, ohne sich
schämen zu müssen. Wie seltsam wohltuend das ist!" — Er wagt
nicht zu denken: Wie süß das ist! — "Süß" wäre blamabel für einen
kräftigen, alten Herrn. Aber er fühlt es! Er fühlt es dennoch!

"Kunst..." denkt der Geschäftsmann mit der Papageiennase. "Ja
freilich, das bringt ein bißchen Schimmer ins Leben, ein wenig Klingklang und weiße Seide. Übrigens schneidet er nicht übel ab. Es sind
reichlich fünfzig Plätze zu zwölf Mark verkauft, das macht allein
sechshundert Mark, — und dann alles übrige. Bringt man Saalmiete,
Beleuchtung und Programme in Abzug, so bleiben gut und gern
tausend Mark netto. Das ist mitzunehmen."

---

[1] *Man hat es nie über 'Drei Jäger aus Kurpfalz' hinausgebracht, und da sitzt man nun als
eisgrauer Kerl und läßt sich von diesem Dreikäsehoch Wunderdinge vormachen:* "You have
never got any further (in playing the piano) than 'Three Huntsmen from the
Palatinate', and here you are sitting now as a grey-haired old fellow and letting
yourself be shown prodigies by this three-cheeses-high infant." *sich vormachen
lassen* may be taken as either "be shown how" or "be put upon".

"Nun, das war Chopin, was er da eben zum besten gab!"[1] denkt die Klavierlehrerin, eine spitznäsige Dame in den Jahren, da die Hoffnungen sich schlafen legen und der Verstand an Schärfe gewinnt. "Man darf sagen, daß er nicht sehr unmittelbar ist. Ich werde nachher äußern: Er ist wenig unmittelbar. Das klingt gut. Übrigens ist seine Handhaltung vollständig unerzogen. Man muß einen Taler auf den Handrücken legen können... Ich würde ihn mit dem Lineal behandeln."

Ein junges Mädchen, das ganz wächsern aussieht und sich in einem gespannten Alter befindet, in welchem man sehr wohl auf delikate Gedanken verfallen kann, denkt im geheimen: "Aber was ist das! Was spielt er da! Es ist ja die Leidenschaft, die er da spielt! Aber es ist doch ein Kind?! Wenn er mich küßte, so wäre es, als küßte mein kleiner Bruder mich, — es wäre kein Kuß. Gibt es denn eine losgelöste Leidenschaft, eine Leidenschaft an sich und ohne irdischen Gegenstand, die nur ein inbrünstiges Kinderspiel wäre?... Gut, wenn ich dies laut sagte, würde man mir Lebertran verabfolgen. So ist die Welt."

An einem Pfeiler steht ein Offizier. Er betrachtet den erfolgreichen Bibi und denkt: "Du bist etwas, und ich bin etwas, jeder auf seine Art!" Im übrigen zieht er die Absätze zusammen und zollt dem Wunderkinde den Respekt, den er allen bestehenden Mächten zollt.

Aber der Kritiker, ein alternder Mann in blankem, schwarzem Rock und aufgekrempten, bespritzten Beinkleidern, sitzt auf seinem Freiplatze und denkt: "Man sehe ihn an, diesen Bibi, diesen Fratz! Als Einzelwesen hat er noch ein Ende zu wachsen, aber als Typus ist er ganz fertig, als Typus des Künstlers. Er hat in sich des Künstlers Hoheit und seine Würdelosigkeit, seine Scharlatanerie und seinen heiligen Funken, seine Verachtung und seinen heimlichen Rausch. Aber das darf ich nicht schreiben; es ist zu gut. Ach, glaubt mir, ich wäre selbst ein Künstler geworden, wenn ich nicht das alles so klar durchschaute..."

Da ist das Wunderkind fertig, und ein wahrer Sturm erhebt sich

---

[1] "was er da eben zum besten gab!": "what he just favoured us with!"

im Saale. Er muß hervor und wieder hervor hinter seinem Wandschirm. Der Mann mit den blanken Knöpfen schleppt neue Kränze
herbei, vier Lorbeerkränze, eine Lyra aus Veilchen, ein Bukett aus
Rosen. Er hat nicht Arme genug, dem Wunderkinde all die Spenden
zu reichen, der Impresario begibt sich persönlich aufs Podium, um
ihm behilflich zu sein. Er hängt einen Lorbeerkranz um Bibis Hals,
er streichelt zärtlich sein schwarzes Haar. Und plötzlich, wie über-
mannt, beugt er sich nieder und gibt dem Wunderkinde einen Kuß,
einen schallenden Kuß, gerade auf den Mund. Da aber schwillt der
Sturm zum Orkan. Dieser Kuß fährt wie ein elektrischer Stoß in den
Saal, durchläuft die Menge wie ein nervöser Schauer. Ein tolles Lärm-
bedürfnis reißt die Leute hin. Laute Hochrufe mischen sich in das
wilde Geprassel der Hände. Einige von Bibis kleinen gewöhnlichen
Kameraden dort unten wehen mit ihren Taschentüchern... Aber
der Kritiker denkt: "Freilich, dieser Impresariokuß mußte kommen.
Ein alter, wirksamer Scherz. Ja, Herrgott, wenn man nicht alles so
klar durchschaute!"

Und dann geht das Konzert des Wunderkindes zu Ende. Um halb
acht Uhr hat es angefangen, um halb neun Uhr ist es aus. Das Podium
ist voller Kränze, und zwei kleine Blumentöpfe stehen auf den Lam-
penbrettern des Flügels. Bibi spielt als letzte Nummer seine "Rhapso-
die grecque", welche schließlich in die griechische Hymne übergeht,
und seine anwesenden Landsleute hätten nicht übel Lust, mitzusingen,
wenn es nicht ein vornehmes Konzert wäre. Dafür entschädigen sie
sich am Schluß durch einen gewaltigen Lärm, einen heißblütigen
Radau, eine nationale Demonstration. Aber der alternde Kritiker
denkt: "Freilich, die Hymne mußte kommen. Man spielt die Sache
auf ein anderes Gebiet hinüber, man läßt kein Begeisterungsmittel
unversucht. Ich werde schreiben, daß das unkünstlerisch ist. Aber
vielleicht ist es gerade künstlerisch. Was ist der Künstler? Ein Hanswurst. Die Kritik ist das Höchste. Aber das darf ich nicht schreiben."
Und er entfernt sich in seinen bespritzten Hosen.

Nach neun oder zehn Hervorrufen begibt sich das erhitzte Wunderkind nicht mehr hinter den Wandschirm, sondern geht zu seiner
Mama und dem Impresario hinunter in den Saal. Die Leute stehen

zwischen den durcheinandergerückten Stühlen und applaudieren und drängen vorwärts, um Bibi aus der Nähe zu sehen. Einige wollen auch die Prinzessin sehen: es bilden sich vor dem Podium zwei dichte Kreise um das Wunderkind und um die Prinzessin, und man weiß nicht recht, wer von beiden eigentlich Cercle hält. Aber die Hofdame verfügt sich auf Befehl zu Bibi, sie zupft und glättet ein wenig an seiner seidenen Jacke, um ihn hoffähig zu machen, führt ihn am Arm vor die Prinzessin und bedeutet ihm ernst, Ihrer königlichen Hoheit die Hand zu küssen. "Wie machst du es, Kind?" fragt die Prinzessin. "Kommt es dir von selbst in den Sinn, wenn du niedersitzest?" — "Oui, Madame", antwortet Bibi. Aber inwendig denkt er: "Ach, du dumme, alte Prinzessin...!" Dann dreht er sich scheu und unerzogen um und geht wieder zu seinen Angehörigen.

Draußen an den Garderoben herrscht dichtes Gewühl. Man hält seine Nummer empor, man empfängt mit offenen Armen Pelze, Schale und Gummischuhe über die Tische hinüber. Irgendwo steht die Klavierlehrerin unter Bekannten und hält Kritik. "Er ist wenig unmittelbar", sagt sie laut und sieht sich um...

Vor einem der großen Wandspiegel läßt sich eine junge, vornehme Dame von ihren Brüdern, zwei Leutnants, Abendmantel und Pelzschuhe anlegen. Sie ist wunderschön, mit ihren stahlblauen Augen und ihrem klaren, reinrassigen Gesicht, ein richtiges Edelfräulein. Als sie fertig ist, wartet sie auf ihre Brüder. "Steh nicht so lange vor dem Spiegel, Adolf!" sagt sie leise und ärgerlich zu dem einen, der sich von dem Anblick seines hübschen, simplen Gesichts nicht trennen kann. Nun, das ist gut! Leutnant Adolf wird sich doch vor dem Spiegel seinen Paletot zuknöpfen dürfen, mit ihrer gütigen Erlaubnis! — Dann gehen sie, und draußen auf der Straße, wo die Bogenlampen trübe durch den Schneenebel schimmern, fängt Leutnant Adolf im Gehen ein bißchen an auszuschlagen, mit emporgeklapptem Kragen und die Hände in den schrägen Manteltaschen auf dem hartgefrorenen Schnee einen kleinen nigger-dance aufzuführen, weil es so kalt ist.

"Ein Kind!" denkt das unfrisierte Mädchen, welches mit frei hängenden Armen in Begleitung eines düsteren Jünglings hinter ihnen geht." Ein liebenswürdiges Kind!" Dort drinnen war ein verehrungswürdiges... Und mit lauter, eintöniger Stimme sagt sie: "Wir sind alle Wunderkinder, wir Schaffenden."

"Nun!" denkt der alte Herr, der es nicht über "Drei Jäger aus Kurpfalz" hinausgebracht hat und dessen Auswuchs jetzt von einem Zylinder bedeckt ist, "was ist denn das! Eine Art Pythia,[1] wie mir scheint."

Aber der düstere Jüngling, der sie aufs Wort versteht, nickt langsam.

Dann schweigen sie, und das unfrisierte Mädchen blickt den drei adeligen Geschwistern nach. Sie verachtet sie, aber sie blickt ihnen nach, bis sie um die Ecke entschwunden sind.

---

[1] *Pythia*: the priestess of the oracle at Delphi whose words were believed to contain the revelations of Apollo.

HERMANN HESSE

HERMANN HESSE was born in 1877 at Calw, Württemberg, as the son of a German Protestant missionary pastor and of a French-Swiss mother. There is an atmosphere of sensitive, dreamy solitariness about his early work. He decided not to follow his father's calling to the church, and after being a bookseller for a time, became a professional writer from 1904 onwards. *Die Verlobung* is one of a series of tales which are set in the local background of the author's childhood (Gerbersau is Calw), and these volumes (*Diesseits*, 1907, *Nachbarn*, 1908, *Umwege*, 1912, *Schön ist die Jugend*, 1916) have enjoyed considerable popularity. This particular tale is of a lighter texture than most, and the theme of the melancholy outsider which recurs throughout Hesse's work is indicated here in a gently humorous manner.

Already before the outbreak of the First World War Hesse had made Switzerland his home, after extensive travels which included a journey to India in 1911. From 1914 onwards he expressed vigorous disapproval of Germany's war policy, being drawn into close sympathy with Romain Rolland, with whom he also shared an enthusiasm for music. Since then his work has taken on a sharper, intellectually and psychologically more probing tone than was evident in the earlier writings. His growing interest in psychoanalysis, his searchings for serenity in Eastern mysticism, and an openness to Expressionist themes are shown in the novels which followed: *Demian* (1919), *Siddhartha* (1922), *Der Steppenwolf* (1927). One of the more important novels is *Narziß und Goldmund* (1930), where Hesse expounds most clearly the dichotomy of mind and instinct which has often inspired his writing. The long novel *Das Glasperlenspiel* (1943), set in the year 2400, is concerned with a monastic community devoted to the pursuit of knowledge and wisdom and the place of such a community within the framework of society as a whole. Hesse has had his home in Switzerland for many years, having become a Swiss citizen in 1923. In 1946 he was awarded the Nobel Prize for literature.

Kinderseele: Drei Erzählungen have been edited by K. W. Maurer (1948). A number of Hesse's novels have been translated into English, including *Das Glasperlenspiel*, with the title *Magister Ludi*, by M. Savill (1949). The study by H. Ball (revised edition, 1956) is one of a number of books on Hesse in German.

DIE VERLOBUNG

In der Hirschengasse gibt es einen bescheidenen Weißwarenladen, der gleich seiner Nachbarschaft noch unberührt von den Veränderungen der neuen Zeit dasteht und hinreichenden Zuspruch hat. Man sagt dort noch beim Abschied zu jedem Kunden, auch wenn er seit zwanzig Jahren regelmäßig kommt, die Worte: "Schenken Sie mir die Ehre ein andermal wieder", und es gehen dort noch zwei oder drei alte Käuferinnen ab und zu, die ihren Bedarf an Band und Litzen in Ellen verlangen und auch im Ellenmaß bedient werden. Die Bedienung wird von einer ledig gebliebenen Tochter des Hauses und einer angestellten Verkäuferin besorgt, der Besitzer selbst ist von früh bis spät im Laden und stets geschäftig, doch redet er niemals ein Wort. Er kann nun gegen siebzig alt sein, ist von sehr kleiner Statur, hat nette rosige Wangen und einen kurz geschnittenen grauen Bart, auf dem vielleicht längst kahlen Kopfe aber trägt er allezeit eine runde steife Mütze mit stramingestickten Blumen und Mäandern. Er heißt Andreas Ohngelt und gehört zur echten, ehrwürdigen Altbürgerschaft der Stadt.

Dem schweigsamen Kaufmännlein sieht niemand etwas Besonderes an, es sieht sich seit Jahrzehnten gleich[1] und scheint ebensowenig älter zu werden, als jemals jünger gewesen zu sein. Doch war auch Andreas Ohngelt einmal ein Knabe und ein Jüngling, und wenn man alte Leute fragt, kann man erfahren, daß er vorzeiten "der kleine Ohngelt" geheißen wurde und eine gewisse Berühmtheit wider Willen genoß. Einmal, vor etwa fünfunddreißig Jahren, hat er sogar eine "Geschichte" erlebt, die früher jedem Gerbersauer[2] geläufig war, wenn sie auch jetzt niemand mehr erzählen und hören will. Das war die Geschichte seiner Verlobung.

---

[1] *Dem schweigsamen Kaufmännlein sieht niemand etwas Besonderes an, es sieht sich seit Jahrzehnten gleich*: "Nobody sees anything special about the silent little tradesman; he has looked the same for decades".

[2] *Gerbersauer*: "inhabitant of Gerbersau".

Der junge Andreas war schon in der Schule aller Rede und Geselligkeit abgeneigt, er fühlte sich überall überflüssig und von jedermann beobachtet und war ängstlich und bescheiden genug, jedem andern im voraus nachzugeben und das Feld zu räumen. Vor den Lehrern empfand er einen abgründigen Respekt, vor den Kameraden eine mit Bewunderung gemischte Furcht. Man sah ihn nie auf der Gasse und auf den Spielplätzen, nur selten beim Bad im Fluß, und im Winter zuckte er zusammen und duckte sich, sobald er einen Knaben eine Handvoll Schnee aufheben sah. Dafür spielte er daheim vergnügt und zärtlich mit den hinterbliebenen Puppen seiner älteren Schwester und mit einem Kaufladen, auf dessen Waage er Mehl, Salz und Sand abwog und in kleine Gucken verpackte, um sie später wieder gegeneinander zu vertauschen, auszuleeren, umzupacken und wieder zu wägen. Auch half er seiner Mutter gern bei leichter Hausarbeit, machte Einkäufe für sie oder suchte im Gärtlein die Schnecken vom Salat.

Seine Schulkameraden plagten und hänselten ihn zwar häufig, aber da er nie zornig wurde und fast nichts übelnahm, hatte er im ganzen doch ein leichtes und ziemlich zufriedenes Leben. Was er an Freundschaft und Gefühl bei seinesgleichen nicht fand und nicht weggeben durfte, das gab er seinen Puppen. Den Vater hatte er früh verloren, er war ein Spätling gewesen, und die Mutter hätte ihn wohl anders gewünscht, ließ ihn aber gewähren und hatte für seine fügsame Anhänglichkeit eine etwas mitleidige Liebe.

Dieser leidliche Zustand hielt jedoch nur so lange an, bis der kleine Andreas aus der Schule und aus der Lehre war, die er am obern Markt im Dierlammschen Geschäft[1] abdiente. Um diese Zeit, etwa von seinem siebzehnten Jahre an, fing sein nach Zärtlichkeiten dürstendes Gemüt andere Wege zu gehen an. Der klein und schüchtern gebliebene Jüngling begann mit immer größeren Augen nach den Mädchen zu schauen und errichtete in seinem Herzen einen Altar der Frauenliebe, dessen Flamme desto höher loderte, je trauriger seine Verliebtheiten verliefen.

[1] *im Dierlammschen Geschäft*: "with the firm of Dierlamm".

Zum Kennenlernen und Beschauen von Mädchen jeden Alters war reichliche Gelegenheit vorhanden, denn der junge Ohngelt war nach Ablauf seiner Lehrzeit in den Weißwarenladen seiner Tante eingetreten, den er später einmal übernehmen sollte. Da kamen Kinder, Schulmädchen, junge Fräulein und alte Jungfern, Mägde und Frauen tagaus, tagein, kramten in Bändern und Linnen, wählten Besätze und Stickmuster aus, lobten und tadelten, feilschten und wollten beraten sein, ohne doch auf Rat zu hören, kauften und tauschten das Gekaufte wieder um. Alledem wohnte der Jüngling höflich und schüchtern bei, er zog Schubladen heraus, stieg die Bockleiter hinauf und herunter, legte vor und packte wieder ein, notierte Bestellungen und gab über Preise Auskunft, und alle acht Tage war er in eine andere von seinen Kundinnen verliebt. Errötend pries er Litzen und Wolle an, zitternd quittierte er Rechnungen, mit Herzklopfen hielt er die Ladentür und sagte den Spruch vom Wiederbeehren, wenn eine schöne Junge hoffärtig das Geschäft verließ.

Um seinen Schönen recht gefällig und angenehm zu sein, gewöhnte Andreas sich feine und sorgfältige Manieren an. Er frisierte sein hellblondes Haar jeden Morgen sorgfältigst, hielt seine Kleider und Leibwäsche sehr sauber und sah dem allmählichen Erscheinen eines Schnurrbärtchens mit Ungeduld entgegen. Er lernte beim Empfange seiner Kunden elegante Verneigungen machen, lernte beim Vorlegen der Zeuge sich mit dem linken Handrücken auf den Ladentisch stützen und auf nur anderthalb Beinen stehen und brachte es zur Meisterschaft im Lächeln, das er bald vom diskreten Schmunzeln bis zum innig glücklichen Strahlen beherrschte. Außerdem war er stets auf der Jagd nach neuen schönen Phrasen, die zumeist aus Umstandsworten bestanden und deren er immer neue und köstlichere erlernte und erfand. Da er von Hause aus im Sprechen unbeholfen und ängstlich war und schon früher nur selten einen vollkommenen Satz mit Subjekt und Prädikat ausgesprochen hatte, fand er nun in diesem sonderbaren Wortschatz eine Hilfe und gewöhnte sich daran, unter Verzicht auf Sinn und Verständlichkeit sich und andern eine Art von Sprechvermögen vorzutäuschen.

Sagte jemand: "Heut ist aber ein Prachtswetter", so antwortete der

kleine Ohngelt: "Gewiß – o ja – denn, mit Verlaub – allerdings –."
Fragte eine Käuferin, ob dieser Leinenstoff auch haltbar sei, so
sagte er: "O bitte, ja, ohne Zweifel, sozusagen, ganz gewiß." Und
erkundigte sich jemand nach seinem Befinden, so erwiderte er:
"Danke gehorsamst — freilich wohl — sehr angenehm —." In besonders wichtigen und ehrenvollen Lagen scheute er auch vor Ausdrücken wie "nichtsdestoweniger, aber immerhin, keinesfalls hingegen" nicht zurück. Dabei waren alle seine Glieder vom geneigten
Kopf bis zur wippenden Fußspitze ganz Aufmerksamkeit, Höflichkeit und Ausdruck. Am ausdrucksvollsten aber sprach sein verhältnismäßig langer Hals, der mager und sehnig und mit einem
erstaunlich großen und beweglichen Adamsapfel ausgestattet war.
Wenn der kleine schmachtende Ladengehilfe eine seiner Antworten
im Stakkato gab, hatte man den Eindruck, er bestehe zu einem
Drittel aus Kehlkopf.

Die Natur verteilt ihre Gaben nicht ohne Sinn, und wenn der
bedeutende Hals des Ohngelt in einem Mißverhältnis zu dessen
Redefähigkeit stehen mochte, so war er als Eigentum und Wahrzeichen eines leidenschaftlichen Sängers desto berechtigter. Andreas
war in hohem Grade ein Freund des Gesanges. Auch beim wohl-
gelungensten Komplimente, bei der feinsten kaufmännischen Gebärde, beim gerührtesten "Immerhin" und "Wennschon" war ihm
vielleicht im Innersten der Seele nicht so schmelzend wohl wie beim
Singen. Dieses Talent war in den Schulzeiten verborgen geblieben,
kam aber nach vollendetem Stimmbruch zu immer schönerer Entfaltung, wenn auch nur im geheimen. Denn es hätte zu der ängstlich
scheuen Befangenheit Ohngelts nicht gepaßt, daß er seiner heimlichen Lust und Kunst anders als in der sichersten Verborgenheit froh
geworden wäre.

Am Abend, wenn er zwischen Mahlzeit und Bettgehen ein Stünd-
lein in seiner Kammer verweilte, sang er im Dunkeln seine Lieder und
schwelgte in lyrischen Entzückungen. Seine Stimme war ein ziemlich
hoher Tenor, und was ihm an Schulung gebrach, suchte er durch
Temperament zu ersetzen. Sein Auge schwamm in feuchtem Schimmer, sein schön gescheiteltes Haupt neigte sich rückwärts zum

Nacken, und sein Adamsapfel stieg mit den Tönen auf und nieder. Sein Lieblingslied war "Wenn die Schwalben heimwärts ziehn".[1] Bei der Strophe "Scheiden, ach Scheiden tut weh" hielt er die Töne lang und zitternd aus und hatte manchmal Tränen in den Augen.

In seiner geschäftlichen Laufbahn kam er mit schnellen Schritten vorwärts. Es hatte der Plan bestanden, ihn noch einige Jahre nach einer größeren Stadt zu schicken. Nun aber machte er sich im Geschäft der Tante bald so unentbehrlich, daß diese ihn nicht mehr fortlassen wollte, und da er später den Laden erblich übernehmen sollte, war sein äußeres Wohlergehen für alle Zeiten gesichert. Anders stand es mit der Sehnsucht seines Herzens. Er war für alle Mädchen seines Alters, namentlich für die hübschen, trotz seiner Blicke und Verbeugungen nichts als eine komische Figur. Der Reihe nach war er in sie alle verliebt, und er hätte jede genommen, die ihm nur einen Schritt entgegen getan hätte. Aber den Schritt tat keine, obwohl er nach und nach seine Sprache um die gebildetsten Phrasen und seine Toilette um die angenehmsten Gegenstände bereicherte.

Eine Ausnahme gab es wohl, allein er bemerkte sie kaum. Das Fräulein Paula Kircher, das Kircherspäule genannt, war immer nett gegen ihn und schien ihn ernst zu nehmen. Sie war freilich weder jung noch hübsch, vielmehr einige Jahre älter als er und ziemlich unscheinbar, sonst aber ein tüchtiges und geachtetes Mädchen aus einer wohlhabenden Handwerkerfamilie. Wenn Andreas sie auf der Straße grüßte, dankte sie nett und ernsthaft, und wenn sie in den Laden kam, war sie freundlich, einfach und bescheiden, machte ihm das Bedienen leicht und nahm seine geschäftsmännischen Aufmerksamkeiten wie bare Münze hin. Daher sah er sie nicht ungern und hatte

---

[1] *"Wenn die Schwalben heimwärts ziehn"*: verse by Carl Herloßsohn (1804–1849), set to music by Franz Abt (1819–1885). The first of the three stanzas runs:

> Wenn die Schwalben heimwärts ziehn,
> Wenn die Rosen nicht mehr blühn,
> Wenn der Nachtigall Gesang
> Mit der Nachtigall verklang,
> Fragt das Herz in bangem Schmerz,
> Ob ich dich auch wieder seh'?
> Scheiden, ach Scheiden tut weh!

Vertrauen zu ihr, im übrigen aber war sie ihm recht gleichgültig und sie gehörte zu der geringen Anzahl lediger Mädchen, für die er außerhalb seines Ladens keinen Gedanken übrig hatte.

Bald setzte er seine Hoffnungen auf feine, neue Schuhe, bald auf ein nettes Halstuch, ganz abgesehen vom Schnurrbart, der allmählich sproßte und den er wie seinen Augapfel pflegte. Endlich kaufte er sich von einem reisenden Handelsmanne auch noch einen Ring aus Gold mit einem großen Opal daran. Damals war er sechsundzwanzig Jahre alt.

Als er aber dreißig wurde und noch immer den Hafen der Ehe nur in sehnsüchtiger Ferne umsegelte, hielten Mutter und Tante es für notwendig, fördernd einzugreifen. Die Tante, die schon recht hoch in den Jahren war, machte den Anfang mit dem Angebot, sie wolle ihm noch zu ihren Lebzeiten das Geschäft abtreten, jedoch nur am Tage seiner Verheiratung mit einer unbescholtenen Gerbersauer Tochter. Dies war denn auch für die Mutter das Signal zum Angriff. Nach manchen Überlegungen kam sie zu dem Befinden, ihr Sohn müsse in einen Verein eintreten, um mehr unter Leute zu kommen und den Umgang mit Frauen zu lernen. Und da sie seine Liebe zur Sangeskunst wohl kannte, dachte sie ihn an dieser Angel zu fangen und legte ihm nahe, sich beim Liederkranz als Mitglied anzumelden.

Trotz seiner Scheu vor Geselligkeit war Andreas in der Hauptsache einverstanden. Doch schlug er statt des Liederkranzes den Kirchengesangverein vor, weil ihm die ernstere Musik besser gefalle. Der wahre Grund war aber der, daß dem Kirchengesangverein Margret Dierlamm angehörte. Diese war die Tochter von Ohngelts früherem Lehrprinzipal, ein sehr hübsches und fröhliches Mädchen von wenig mehr als zwanzig Jahren, und in sie war Andreas seit neuestem verliebt, da es schon seit geraumer Zeit keine ledigen Altersgenossinnen mehr für ihn gab, wenigstens keine hübschen.

Die Mutter hatte gegen den Kirchengesangverein nichts Triftiges einzuwenden. Zwar hatte dieser Verein nicht halb soviel gesellige Abende und Festlichkeiten wie der Liederkranz, dafür war aber die Mitgliedschaft hier viel wohlfeiler, und Mädchen aus guten Häusern, mit denen Andreas bei Proben und Aufführungen zusammenkommen würde, gab es auch hier genug. So ging sie denn ungesäumt mit dem Herrn Sohn zum Vorstande, einem greisen Schullehrer, der sie freundlich empfing.

"So, Herr Ohngelt", sagte er, "Sie wollen bei uns mitsingen?"

"Ja, gewiß, bitte —."

"Haben Sie denn schon früher gesungen?"

"O ja, das heißt, gewissermaßen —"

"Nun, machen wir eine Probe. Singen Sie irgendein Lied, das Sie auswendig können."

Ohngelt wurde rot wie ein Knabe und wollte um alles nicht anfangen. Aber der Lehrer bestand darauf und wurde schließlich fast böse, so daß er am Ende doch sein Bangen überwand und mit einem resignierten Blick auf die ruhig dasitzende Mutter sein Leiblied anstimmte. Es riß ihn mit, und er sang den ersten Vers ohne Stocken.

Der Dirigent winkte, es sei genug. Er war wieder ganz höflich und sagte, das sei allerdings sehr nett gesungen und man merke, daß es con amore geschehe, allein vielleicht wäre er doch mehr für weltliche Musik veranlagt, ob er es nicht etwa beim Liederkranz probieren wolle. Schon wollte Herr Ohngelt eine verlegene Antwort stammeln, da legte seine Mutter sich für ihn ins Zeug. Er singe wirklich schön, meinte sie, und sei jetzt nur ein wenig verlegen gewesen, und es wäre ihr gar so lieb, wenn er ihn aufnähme, der Liederkranz sei doch etwas ganz anderes und nicht so fein, und sie gebe auch jedes Jahr für die Kirchenbescherung, und kurz, wenn der Herr Lehrer so gut sein wollte, wenigstens für eine Probezeit, man werde ja alsdann schon sehen. Der alte Mann versuchte noch zweimal begütigend davon zu reden, daß das Kirchensingen kein Spaß sei und daß es ohnehin schon so eng hergehe auf dem Orgelpodium, aber die mütterliche Beredsamkeit siegte zuletzt doch. Es war dem bejahrten Dirigenten noch nie vorgekommen, daß ein Mann von über dreißig Jahren sich zum Mitsingen gemeldet und seine Mutter zum Beistand mitgebracht hatte. So ungewohnt und eigentlich unbequem ihm dieser Zuwachs zu seinem Chore war, machte ihm die Sache im stillen doch ein Vergnügen, wenn auch nicht um der Musik willen. Er bestellte Andreas zur nächsten Probe und ließ die beiden lächelnd ziehen.

Am Mittwoch abend fand sich der kleine Ohngelt pünktlich in der Schulstube ein, wo die Proben abgehalten wurden. Man übte einen Choral für das Osterfest. Die allmählich ankommenden Sänger und Sängerinnen begrüßten das neue Mitglied sehr freundlich und hatten alle ein so aufgeräumtes und heiteres Wesen, daß Ohngelt sich selig fühlte. Auch Margret Dierlamm war da, und auch sie nickte dem Neuen mit freundlichem Lächeln zu. Wohl hörte er manchmal hinter sich leise lachen, doch war er ja gewöhnt, ein wenig komisch genommen zu werden, und ließ es sich nicht anfechten. Was ihn hingegen befremdete, war das zurückhaltend ernste Betragen des Kircherspäule, das ebenfalls anwesend war und, wie er bald bemerkte, sogar zu den geschätzteren Sängerinnen gehörte. Sie hatte sonst immer eine wohltuende Freundlichkeit gegen ihn gezeigt, und jetzt war gerade sie merkwürdig kühl und schien beinahe Anstoß daran zu nehmen, daß er hier eingedrungen war. Aber was ging ihn das Kircherspäule an?

Beim Singen verhielt sich Ohngelt überaus vorsichtig. Wohl hatte er von der Schule her noch eine leise Ahnung vom Notenwesen, und manche Takte sang er mit gedämpfter Stimme den andern nach, im ganzen aber fühlte er sich seiner Kunst wenig sicher und hegte bange Zweifel daran, ob das jemals anders werden würde. Der Dirigent, den seine Verlegenheit lächerte und rührte, schonte ihn und sagte beim Abschied sogar: "Es wird mit der Zeit schon gehen, wenn Sie sich dranhalten." Den ganzen Abend aber hatte Andreas das Vergnügen, in Margrets Nähe zu sein und sie häufig anschauen zu dürfen. Er dachte daran, daß bei dem öffentlichen Singen vor und nach dem Gottesdienst auf der Orgel die Tenöre gerade hinter den Mädchen aufgestellt waren, und malte sich die Wonne aus, am Osterfest und bei allen künftigen Anlässen so nahe bei Fräulein Dierlamm zu stehen und sie ungescheut betrachten zu können. Da fiel ihm zu seinem Schmerze wieder ein, wie klein und niedrig er gewachsen war und daß er zwischen den andern Sängern stehend nichts würde sehen können. Mit großer Mühe und vielem Stottern machte er einem der Mitsinger diese seine künftige Notlage auf der Orgel klar, natürlich ohne den wahren Grund seines Kummers zu nennen. Da beruhigte ihn der Kollege lachend und meinte, er werde ihm schon zu einer ansehnlichen Aufstellung verhelfen können.

Nach dem Schluß der Probe lief alles davon, kaum daß man einander grüßte. Einige Herren begleiteten Damen nach Hause, andere gingen miteinander zu einem Glas Bier. Ohngelt blieb allein und kläglich auf dem Platze vor dem finsteren Schulhause stehen, sah den andern und namentlich der Margret beklommen nach und machte ein enttäuschtes Gesicht, da kam das Kircherspäule an ihm vorbei, und als er den Hut zog, sagte sie: "Gehen Sie heim? Dann haben wir ja einen Weg und können miteinander gehen." Dankbar schloß er sich an und lief neben ihr her durch die feuchten, märzkühlen Gassen heimwärts, ohne mehr Worte als den Gutenachtgruß mit ihr zu tauschen.

Am nächsten Tag kam Margret Dierlamm in den Laden, und er durfte sie bedienen. Er faßte jeden Stoff an, als wäre er Seide, und bewegte den Maßstab wie einen Fiedelbogen, er legte Gefühl und Anmut in jede kleine Dienstleistung, und leise wagte er zu hoffen, sie würde ein Wort von gestern und vom Verein und von der Probe sagen. Richtig tat sie das auch. Gerade noch unter der Türe fragte sie: "Es war mir ganz neu, daß Sie auch singen, Herr Ohngelt. Singen Sie denn schon lang?" Und während er unter Herzklopfen hervorstieß: "Ja — vielmehr nur so — mit Verlaub", entschwand sie leicht nickend in die Gasse.

"Schau, schau!" dachte er bei sich und spann Zukunftsträume, ja er verwechselte beim Einräumen zum ersten Male in seinem Leben die halbwollenen Litzen mit den reinwollenen.

Indessen kam die Osterzeit immer näher, und da sowohl am Karfreitag wie am Ostersonntag der Kirchenchor singen sollte, gab es mehrmals in der Woche Proben. Ohngelt erschien stets pünktlich und gab sich alle Mühe, nichts zu verderben, wurde auch von jedermann mit Wohlwollen behandelt. Nur das Kircherspäule schien nicht recht mit ihm zufrieden zu sein, und das war ihm nicht lieb, denn sie war schließlich doch die einzige Dame, zu der er ein volles Vertrauen hatte. Auch fügte es sich regelmäßig, daß er an ihrer Seite nach Hause ging, denn der Margret seine Begleitung anzutragen, war wohl stets sein stiller Wunsch und Entschluß, doch fand er nie den Mut dazu. So ging er dann mit dem Päule. Die ersten Male wurde auf diesem Heimgang kein Wort geredet. Das nächste Mal nahm die Kircher ihn ins Gebet und fragte, warum er nur so wortkarg sei, ob er sie denn fürchte.

"Nein", stammelte er erschrocken, "das nicht — vielmehr — gewiß nicht — im Gegenteil."

Sie lachte leise und fragte: "Und wie geht's denn mit dem Singen? Haben Sie Freude dran?"

"Freilich ja — sehr — jawohl."

Sie schüttelte den Kopf und sagte leiser: "Kann man denn mit Ihnen wirklich nicht reden, Herr Ohngelt? Sie drücken sich auch um jede Antwort herum."

Er sah sie hilflos an und stotterte.

"Ich meine es doch gut", fuhr sie fort. "Glauben Sie das nicht?"
Er nickte heftig.

"Also denn! Können Sie denn gar nichts reden als wieso und immerhin und mit Verlaub und dergleichen Zeug?"

"Ja, schon, ich kann schon, obwohl — allerdings."

"Ja obwohl und allerdings. Sagen Sie, am Abend mit Ihrer Frau Mutter und mit der Tante reden Sie doch auch deutsch, oder nicht? Dann tun Sie's doch auch mit mir und mit anderen Leuten. Man könnte dann doch ein vernünftiges Gespräch führen. Wollen Sie nicht?"

"Doch ja, ich will schon — gewiß —"

"Also gut, das ist gescheit von Ihnen. Jetzt kann ich doch mit Ihnen reden. Ich hätte nämlich einiges zu sagen."

Und nun sprach sie mit ihm, wie er es nicht gewöhnt war. Sie fragte, was er denn im Kirchengesangverein suche, wenn er doch nicht singen könne und wo fast nur Jüngere als er seien. Und ob er nicht merke, daß man sich dort manchmal über ihn lustig mache und mehr von der Art. Aber je mehr der Inhalt ihrer Rede ihn demütigte, desto eindringlicher empfand er die gütige und wohlmeinende Art ihres Zuredens. Etwas weinerlich schwankte er zwischen kühler Ablehnung und gerührter Dankbarkeit. Da waren sie schon vor dem

Kircherschen Hause. Paula gab ihm die Hand und sagte ernsthaft: "Gute Nacht, Herr Ohngelt, und nichts für ungut. Nächstes Mal reden wir weiter, gelt?"

Verwirrt ging er heim, und so weh ihm war, wenn er an ihre Enthüllungen dachte, so neu und tröstlich war es ihm, daß jemand so freundschaftlich und ernst und wohlgesinnt mit ihm gesprochen hatte.

Auf dem Heimweg von der nächsten Probe gelang es ihm schon, in ziemlich deutscher Sprache zu reden, etwa wie daheim mit der Mutter, und mit dem Gelingen stieg sein Mut und sein Vertrauen. Am folgenden Abend war er schon so weit, daß er ein Bekenntnis abzulegen versuchte, er war sogar halb entschlossen, die Dierlamm mit Namen zu nennen, denn er versprach sich Unmögliches von Päules Mitwissenschaft und Hilfe. Aber sie ließ ihn nicht dazu kommen. Sie schnitt seine Geständnisse plötzlich ab und sagte: "Sie wollen heiraten, nicht wahr? Das ist auch das Gescheiteste, was Sie tun können. Das Alter haben Sie ja."

"Das Alter, ja das schon", sagte er traurig. Aber sie lachte nur, und er ging ungetröstet heim. Das nächste Mal kam er wieder auf diese Angelegenheit zu sprechen. Das Päule entgegnete bloß, er müsse ja wissen, wen er haben wolle; gewiß sei nur, daß die Rolle, die er im Gesangverein spiele, ihm nicht förderlich sein könnte, denn junge Mädchen nähmen schließlich bei einem Liebhaber alles lieber in den Kauf als Lächerlichkeit.

Die Seelenqualen, in welche ihn diese Worte versetzt hatten, wichen endlich der Aufregung und den Vorbereitungen zum Karfreitag, an welchem Ohngelt zum erstenmal im Chor auf der Orgeltribüne sich zeigen sollte. Er kleidete sich an diesem Morgen mit besonderer Sorgfalt an und kam mit gewichstem Zylinder frühzeitig in die Kirche. Nachdem ihm sein Platz angewiesen worden war, wandte er sich nochmals an jenen Kollegen, der ihm bei der Aufstellung behilflich zu sein versprochen hatte. Wirklich schien dieser die Sache nicht vergessen zu haben, er winkte dem Orgeltreter, und dieser brachte schmunzelnd ein kleines Kistlein, das wurde an Ohngelts Stehplatz hingesetzt und der kleine Mann daraufgestellt, so daß er nun im Sehen und Gesehenwerden dieselben Vorteile genoß wie die längsten Tenöre. Nur war das Stehen auf diese Art mühevoll und gefährlich, er mußte sich genau im Gleichgewicht halten und vergoß manchen Tropfen Schweiß bei dem Gedanken, er könnte umfallen und mit gebrochenen Beinen unter die an der Brüstung postierten Mädchen hinabstürzen, denn der Orgelvorbau neigte sich in schmalen, stark abfallenden Terrassen niederwärts gegen das Kirchenschiff. Dafür hatte er aber das Vergnügen, der schönen Margret Dierlamm aus beklemmender Nähe in den Nacken schauen zu können. Da der Gesang und der ganze Gottesdienst vorüber war, fühlte er sich erschöpft und atmete tief auf, als die Türen geöffnet und die Glocken gezogen wurden.

Tags darauf warf ihm das Kircherspäule vor, sein künstlich erhobener Standpunkt sehe recht hochmütig aus und mache ihn lächerlich. Er versprach, sich späterhin seines kurzen Leibes nicht mehr zu schämen, doch wollte er morgen am Osterfeste ein letztesmal das Kistlein benutzen, schon um den Herrn, der es ihm angeboten, nicht zu beleidigen. Sie wagte nicht zu sagen, ob er denn nicht sehe, daß jener die Kiste nur hergebracht habe, um sich einen Spaß mit ihm zu machen. Kopfschüttelnd ließ sie ihn gewähren und war über seine Dummheit so ärgerlich wie über seine Arglosigkeit gerührt.

Am Ostersonntage ging es im Kirchenchor noch um einen Grad feierlicher zu als neulich. Es wurde eine schwierige Musik aufgeführt, und Ohngelt balancierte tapfer auf seinem Gerüste. Gegen den Schluß des Chorals hin nahm er jedoch mit Entsetzen wahr, daß sein Standörtlein unter seinen Sohlen zu wanken und unfest zu werden begann. Er konnte nichts tun, als stillhalten und womöglich den Sturz über die Terrasse vermeiden. Dieses gelang ihm auch, und statt eines Skandals und Unglücks ereignete sich nichts, als daß der Tenor Ohngelt unter leisem Krachen sich langsam verkürzte und mit angsterfülltem Gesicht abwärtssinkend aus der Sichtbarkeit verschwand. Der Dirigent, das Kirchenschiff, die Emporen und der schöne Nacken der blonden Margret gingen nacheinander seinem Blick verloren, doch kam er heil zu Boden, und in der Kirche hatte außer den grinsenden Sangesbrüdern nur ein Teil der nahesitzenden männlichen Schuljugend den Vorgang wahrgenommen. Über die Stätte seiner Erniedrigung hinweg jubilierte und frohlockte der kunstreiche Osterchoral.

Als unterm Kehraus des Organisten das Volk die Kirche verließ, blieb der Verein auf seiner Tribüne noch auf ein paar Worte beieinander, denn morgen, am Ostermontag, sollte wie jedes Jahr ein festlicher Vereinsausflug unternommen werden. Auf diesen Ausflug hatte Andreas Ohngelt von Anfang an große Erwartungen gestellt. Er fand jetzt sogar den Mut, Fräulein Dierlamm zu fragen, ob sie auch mitzukommen gedenke, und die Frage kam ohne viel Anstoß über seine Lippen.

"Ja, gewiß gehe ich mit", sagte das schöne Mädchen mit Ruhe, und dann fügte sie hinzu: "Übrigens, haben Sie sich vorher nicht weh getan?" Dabei stieß sie das verhaltene Lachen so, daß sie auf keine Antwort mehr wartete und davonlief. In demselben Augenblick schaute das Päule herüber, mit einem mitleidigen und ernsthaften Blick, der Ohngelts Verwirrung noch steigerte. Sein flüchtig aufgeloderter Mut war nicht minder eilig wieder umgeschlagen, und wenn er von dem Ausflug nicht schon mit seiner Mama geredet und diese nicht schon zum Mitgehen aufgefordert gehabt hätte,[1] so wäre er jetzt am liebsten vom Ausflug, vom Verein und von allen seinen Hoffnungen zurückgetreten.

Der Ostermontag war blau und sonnig, und um zwei Uhr kamen fast alle Mitglieder des Gesangvereins mit mancherlei Gästen und Verwandten oberhalb der Stadt in der Lärchenallee zusammen. Ohngelt brachte seine Mutter mit. Er hatte ihr am vergangenen Abend gestanden, daß er in Margret verliebt sei und zwar wenig Hoffnungen hege, dem mütterlichen Beistande aber und dem Ausflugsnachmittage doch noch einiges zutraue. So sehr sie ihrem Kleinen das Beste gönnte, so schien ihr doch Margret zu jung und zu hübsch für ihn zu sein. Man konnte es ja versuchen; die Hauptsache war, daß Andreas bald eine Frau bekam, schon des Ladens wegen.

Man rückte ohne Gesang aus, denn der Waldweg ging ziemlich steil und beschwerlich bergauf. Frau Ohngelt fand trotzdem Samm-

[1] *aufgefordert gehabt hätte:* usually *aufgefordert hätte.*

lung und Atem genug, um erstlich ihrem Sohn die letzten Verhaltungs-
maßregeln für die kommenden Stunden einzuschärfen und hernach
ein aufgeräumtes Gespräch mit Frau Dierlamm anzufangen. Margrets
Mutter bekam, während sie Mühe hatte, im Bergansteigen Luft für
die notwendigsten Antworten zu erübrigen, eine Reihe angenehmer
und interessanter Dinge zu hören. Frau Ohngelt begann mit dem
prächtigen Wetter, ging von da zu einer Würdigung der Kirchen-
musik, einem Lob für Frau Dierlamms rüstiges Aussehen und einem
Entzücken über das Frühlingskleid der·Margret über, sie verweilte
bei Angelegenheiten der Toilette und gab schließlich eine Darstellung
von dem erstaunlichen Aufschwung, den der Weißwarenladen ihrer
Schwägerin in den letzten Jahren genommen habe. Frau Dierlamm
konnte auf dieses hin nichts anders, als auch des jungen Ohngelt
lobend zu erwähnen, der so viel Geschmack und kaufmännische
Fähigkeiten zeige, was ihr Mann schon vor manchen Jahren während
Andreas' Lehrzeit bemerkt und anerkannt habe. Auf diese Schmeichelei antwortete die entzückte Mutter mit einem halben Seufzer.
Freilich, der Andreas sei tüchtig und werde es noch weit bringen,
auch sei der prächtige Laden schon so gut wie sein Eigentum, ein
Jammer aber sei es mit seiner Schüchternheit gegen die Frauenzim-
mer. Seinerseits fehle es weder an Lust noch an den wünschens-
werten Tugenden für das Heiraten, wohl aber an Zutrauen und
Unternehmungsmut.

Frau Dierlamm begann nun die besorgte Mutter zu trösten, und
wenn sie dabei auch weit davon entfernt war, an ihre Tochter zu
denken, versicherte sie doch, daß eine Verbindung mit Andreas für
jede ledige Tochter der Stadt nur willkommen sein könnte. Diese
Worte sog die Ohngelt wie Honig ein.

Unterdessen war Margret mit anderen jungen Leuten der Gesellschaft weit vorangeeilt, und diesem kleinen Kreise der Jüngsten und
Lustigsten schloß sich auch Ohngelt an, obwohl er alle Not hatte,
mit seinen kurzen Beinen nachzukommen.

Wieder waren alle ausnehmend freundlich gegen ihn, denn für
diese Spaßvögel war der ängstliche Kleine mit seinen verliebten
Augen ein gefundenes Fressen. Auch die hübsche Margret tat mit

und zog den Anbeter je und je mit scheinbarem Ernste ins Gespräch, so daß er vor glücklicher Erregung und verschluckten Satzteilen ganz heiß wurde.

Allein das Vergnügen dauerte nicht lange. Allmählich merkte der arme Teufel doch, daß er hinterrücks ausgelacht wurde, und wenn er sich auch darein zu schicken wußte, so ward er doch niedergeschlagen und ließ die Hoffnung wieder sinken. Äußerlich ließ er sich jedoch möglichst wenig anmerken. Die Ausgelassenheit der jungen Leute stieg mit jeder Viertelstunde, und er lachte angestrengt desto lauter mit, je deutlicher er alle Witze und Andeutungen als auf ihn selber gemünzt erkannte. Schließlich endete der Keckste von den Jungen, ein baumlanger Apothekergehilfe, die Neckereien durch einen recht groben Scherz.

Man kam gerade an einer schönen alten Eiche vorüber, und der Apotheker bot sich an, zu versuchen, ob er den untersten Ast des hohen Baumes mit den Händen erreichen könne. Er stellte sich auf und sprang mehrmals in die Höhe, aber es reichte nicht ganz, und die im Halbkreise umherstehenden Zuschauer begannen ihn auszulachen. Da kam er auf den Einfall, sich durch einen Witz wieder in Ehren und einen andern an die Stelle des Ausgelachten zu bringen. Plötzlich griff er den kleinen Ohngelt um den Leib, hob ihn in die Höhe und forderte ihn auf, den Ast zu fassen und sich daran zu halten. Der Überraschte war empört und wäre gewiß nicht darauf eingegangen, hätte er nicht in seiner schwebenden Lage Furcht vor einem Sturze gehabt. So packte er denn zu und klammerte sich an; sobald sein Träger dies aber bemerkte, ließ er los, und Ohngelt hing nun unter dem Gelächter der Jugend hilflos hoch am Aste, mit den Beinen zappelnd und zornige Schreie ausstoßend.

"Herunter!" schrie er heftig. "Nehmen Sie mich sofort wieder herunter, Sie!"

Seine Stimme überschlug sich, er fühlte sich vollkommen vernichtet und ewiger Schande preisgegeben. Der Apotheker aber meinte, nun müsse er sich loskaufen, und alle jubelten Beifall.

"Sie müssen sich loskaufen", rief auch Margret Dierlamm.

Da konnte er doch nicht widerstehen.

"Ja, ja", rief er, "aber schnell!"

Sein Peiniger hielt nun eine kleine Rede des Inhalts, daß Herr Ohngelt schon seit drei Wochen Mitglied des Kirchengesangvereins wäre, ohne daß jemand ihn habe singen hören. Nun könne er nicht eher aus seiner hohen und gefährlichen Lage befreit werden, als bis er der Versammlung ein Lied vorgesungen habe.

Kaum hatte er gesprochen, so begann Andreas auch schon zu singen, denn er fühlte sich von seinen Kräften verlassen. Halb schluchzend fing er an: "Gedenkst du noch der Stunde" — und war noch nicht mit der ersten Strophe fertig, so mußte er loslassen und stürzte mit einem Schrei herab. Alle waren nun doch erschrocken, und wenn er ein Bein gebrochen hätte, wäre er gewiß eines reumütigen Mitleids sicher gewesen. Aber er stand zwar blaß, doch unversehrt wieder auf, griff nach seinem Hute, der neben ihm im Moose lag, setzte ihn sorgfältig wieder auf und ging schweigend davon — denselben Weg zurück, den sie gekommen waren. Hinter der nächsten Wegbiegung setzte er sich am Straßenrande nieder und suchte sich zu erholen.

Hier fand ihn der Apotheker, der ihm mit schlechtem Gewissen nachgeschlichen war. Er bat um Verzeihung, ohne eine Antwort zu erhalten.

"Es tut mir wirklich sehr leid", sagte er nochmals bittend, "ich hatte gewiß nichts Böses im Sinn. Bitte verzeihen Sie mir, und kommen Sie wieder mit!"

"Es ist schon gut", sagte Ohngelt und winkte ab, und der andere ging unbefriedigt davon.

Wenig später kam der zweite Teil der Gesellschaft mit den älteren Leuten und den beiden Müttern dabei langsam angerückt. Ohngelt ging zu seiner Mutter hin und sagte:

"Ich will heim."

"Heim? Ja warum denn? Ist was passiert?"

"Nein. Aber es hat doch keinen Wert, ich weiß es jetzt gewiß."

"So! Hast du einen Korb gekriegt?"

"Nein. Aber ich weiß doch —"

Sie unterbrach ihn und zog ihn mit.

"Jetzt keine Faxen! Du kommst mit, und es wird schon recht werden. Beim Kaffee setz' ich dich neben die Margret, paß auf."

Er schüttelte bekümmert den Kopf, gehorchte aber und ging mit. Das Kircherspäule versuchte eine Unterhaltung mit ihm anzufangen und mußte es wieder aufgeben, denn er blickte schweigend geradeaus und hatte ein gereiztes und verbittertes Gesicht, wie es niemand an ihm je gesehen hatte.

Nach einer halben Stunde erreichte die Gesellschaft das Ziel des Ausflugs, ein kleines Walddorf, dessen Wirtshaus durch seinen guten Kaffee bekannt war und in dessen Nähe die Ruinen einer Raubritter-burg lagen. Im Wirtsgarten war die schon länger angekommene Jugend lebhaften Spielen hingegeben. Jetzt wurden Tische aus dem Hause gebracht und zusammengerückt, die jungen Leute trugen Stühle und Bänke herbei; frisches Tischzeug wurde aufgelegt und die Tafeln mit Tassen, Kannen, Tellern und Backwerk bestellt. Frau Ohngelt gelang es richtig, ihren Sohn an Margrets Seite zu bringen. Er aber nahm seines Vorteils nicht wahr, sondern dämmerte im Gefühl seines Unglücks trostlos vor sich hin, rührte gedankenlos mit dem Löffel im erkaltenden Kaffee und schwieg hartnäckig trotz allen Blicken, die seine Mutter ihm sandte.

Nach der zweiten Tasse beschlossen die Anführer der Jungen, einen Gang nach der Burgruine zu tun und dort Spiele zu machen. Lärmend erhob sich die Jungmannschaft samt den Mädchen. Auch Margret Dierlamm stand auf, und im Aufstehen übergab sie dem mutlos verharrenden Ohngelt ihr hübsches perlengesticktes Hand-täschlein mit den Worten:

"Bitte bewahren Sie mir das gut, Herr Ohngelt, wir gehen zum Spielen." Er nickte und nahm das Ding zu sich. Die grausame Selbst-verständlichkeit, mit der sie annahm, er werde bei den Alten bleiben und sich nicht an den Spielen beteiligen, wunderte ihn nicht mehr. Ihn wunderte nur noch, daß er das alles nicht von Anfang an bemerkt hatte, die merkwürdige Freundlichkeit bei den Proben, die Geschich-te mit dem Kistlein und alles andere.

Als die jungen Leute gegangen waren und die Zurückgebliebenen weiter Kaffee tranken und Gespräche spannen, verschwand Ohngelt unvermerkt von seinem Platz und ging hinterm Garten übers Feld dem Walde zu. Die hübsche Tasche, die er in der Hand trug, glitzerte freudig im Sonnenlicht. Vor einem frischen Baumstrunk machte er halt. Er zog sein Taschentuch heraus, breitete es über das noch lichte, feuchte Holz und setzte sich darauf. Dann stützte er den Kopf in die Hände und brütete über traurigen Gedanken, und als sein Blick wieder auf die bunte Tasche fiel und als zugleich mit einem Windzug die Schreie und Freudenrufe der Gesellschaft herüberklangen, neigte er den schweren Kopf tiefer und begann lautlos und kindlich zu weinen.

Wohl eine Stunde lang blieb er so sitzen. Seine Augen waren wieder trocken und seine Erregung verflogen, aber das Traurige seines Zustandes und die Hoffnungslosigkeit seiner Bestrebungen waren ihm jetzt noch klarer als zuvor. Da hörte er einen leichten Schritt sich nähern, ein Kleid rauschen, und ehe er von seinem Sitze aufspringen konnte, stand die Paula Kircher neben ihm.

"Ganz allein?" fragte sie scherzend. Und da er nicht antwortete und sie ihn genauer anschaute, wurde sie plötzlich ernst und fragte mit frauenhafter Güte: "Wo fehlt es denn? Ist Ihnen ein Unglück geschehen?"

"Nein", sagte Ohngelt leise und ohne nach Phrasen zu suchen. "Nein. Ich habe nur eingesehen, daß ich nicht unter die Leute passe. Und daß ich ihr Hanswurst gewesen bin."

"Nun, so schlimm wird es nicht sein —"

"Doch, gerade so. Ihr Hanswurst bin ich gewesen, und besonders noch den Mädchen ihrer. Weil ich gutmütig gewesen bin und es redlich gemeint habe. Sie haben recht gehabt, ich hätte nicht in den Verein gehen sollen."

"Sie können ja wieder austreten, und dann ist alles gut."

"Austreten kann ich schon, und ich tu es lieber heut als morgen. Aber damit ist noch lange nicht alles gut."

"Warum denn nicht?"

"Weil ich zum Spott für sie geworden bin. Und weil jetzt vollends keine mehr —"

Das Schluchzen übernahm ihn beinahe. Sie fragte freundlich: "— weil jetzt keine mehr —?"

Mit zitternder Stimme fuhr er fort: "Weil jetzt vollends kein Mädchen mehr mich achtet und mich ernst nehmen will."

"Herr Ohngelt", sagte das Päule langsam, "sind Sie jetzt nicht ungerecht? Oder meinen Sie, ich achte Sie nicht und nehme Sie nicht ernst?"

"Ja, das wohl. Ich glaube schon, daß Sie mich noch achten. Aber das ist es nicht."

"Ja, was ist es denn?"

"Ach Gott, ich sollte gar nicht davon reden. Aber ich werde ganz irr, wenn ich denke, daß jeder andere es besser hat als ich, und ich bin doch auch ein Mensch, nicht? Aber mich — mich will — mich will keine heiraten!"

Es entstand eine längere Pause. Dann fing das Päule wieder an: "Ja, haben Sie denn schon die eine oder andre gefragt, ob sie will oder nicht?"

"Gefragt! Nein, das nicht. Zu was auch? Ich weiß ja vorher, daß keine will."

"Dann verlangen Sie also, daß die Mädchen zu Ihnen kommen und sagen: Ach Herr Ohngelt, verzeihen Sie, aber ich möchte so schrecklich gern haben, daß Sie mich heiraten! Ja, auf das werden Sie freilich noch lang warten können."

"Das weiß ich wohl", seufzte Andreas. "Sie wissen schon, wie ich's meine, Fräulein Päule. Wenn ich wüßte, daß eine es gut mit mir meint und mich ein wenig gut leiden könnte, dann —"

"Dann würden sie vielleicht so gnädig sein und ihr zublinzeln oder mit dem Zeigefinger winken! Lieber Gott, Sie sind — Sie sind —"

Damit lief sie davon, aber nicht etwa mit einem Gelächter, sondern mit Tränen in den Augen. Ohngelt konnte das nicht sehen, doch hatte er etwas Sonderbares in ihrer Stimme und in ihrem Davonlaufen bemerkt, darum rannte er ihr nach, und als er bei ihr war und beide keine Worte fanden, hielten sie sich plötzlich umarmt und gaben sich einen Kuß. Da war der kleine Ohngelt verlobt.

Als er mit seiner Braut verschämt und doch tapfer Arm in Arm in den Wirtsgarten zurückkehrte, war alles schon zum Aufbruch bereit und hatte nur noch auf die zwei gewartet. In dem allgemeinen Tumult,

Erstaunen, Kopfschütteln und Glückwünschen trat die schöne Margret vor Ohngelt und fragte: "Ja, wo haben Sie denn meine Handtasche gelassen?"

Bestürzt gab der Bräutigam Auskunft und eilte in den Wald zurück, und das Päule lief mit. An der Stelle, wo er so lang gesessen und geweint hatte, lag im braunen Laube der schimmernde Beutel, und die Braut sagte: "Es ist gut, daß wir noch einmal herüber sind. Da liegt ja auch noch dein Sacktuch."

ROBERT WALSER

ROBERT WALSER was born in 1878, one of the eight children of parents who kept a small stationer's and toyshop in Biel, Canton Berne, Switzerland. He left school when he was fourteen and began working in a bank, but soon developed a restlessness which drove him from one post to another. His literary activity began when he was twenty, and writing, together with walking, soon became his chief happiness in life. He preferred to give up routine work once he had earned enough money to enable him to live in frugal independence for a while, and then he would seek employment again elsewhere. His first book was *Fritz Kochers Aufsätze* (1904). From 1906 to 1913 he lived with his brother in Berlin, and during this period appeared three novels, *Geschwister Tanner* (1907), *Der Gehülfe* (1908) and *Jakob von Gunten* (1909), to be followed by the series of nine slim volumes of sketches and short stories which were published between 1913 and 1925 and contain his most characteristic work. After being mobilized in the Swiss frontier defence troops during the First World War, Walser took up once more his life as clerk and writer. From 1929 until his death in 1956 he lived apart from the world, a mentally sick man.

When his work first appeared, it attracted the attention of discriminating judges, such as Hofmannsthal and Hesse, on account of its light, lyrical, delicate wit and its easy, gentle irony, and it had some influence on the work of Kafka. *Die kleine Berlinerin* belongs to Walser's period in Berlin, and describes a way of life with which he would be familiar from his own observations and from the experiences of his brother Karl, who was a painter.

Walser's work is being published anew under the editorship of C. Seelig (Geneva, 1954-). O. Zinniker has written a short biography and appreciation (Zürich, 1947), and J. C. Middleton has translated *The Walk and Other Stories* (1957).

DIE KLEINE BERLINERIN

HEUTE hat mir Papa eine Ohrfeige gegeben, natürlich eine echt väterliche, eine zärtliche. Ich gebrauchte die Redensart: "Vater, du hast wohl einen Knall." Das war allerdings ein wenig unvorsichtig. "Damen sollen sich einer gewählten Sprache bedienen", sagt unsere Deutschlehrerin. Sie ist entsetzlich. Aber Papa will nicht haben, daß ich diese Person lächerlich finde, und vielleicht hat er recht. Man geht schließlich zur Schule, um einen gewissen Lerneifer und einen gewissen Respekt an den Tag zu legen. Übrigens ist es billig und un-edel, an den Mitmenschen Komisches zu entdecken und darüber zu lachen. Junge Damen sollen sich an das Feine und Edle gewöhnen, das sehe ich sehr gut ein. Man verlangt keine Arbeit von mir, man wird nie eine solche von mir fordern, dafür aber wird man vornehmes Wesen bei mir voraussetzen. Werde ich im späteren Leben irgend-welchen Beruf ausüben? Nicht doch. Ich werde eine junge feine Frau sein, ich werde mich verheiraten. Es ist möglich, daß ich meinen Mann quälen werde. Doch das wäre fürchterlich. Man verachtet sich immer selbst, sobald man einen andern glaubt verachten zu sollen. Ich bin zwölf Jahre alt. Ich muß geistig sehr entwickelt sein, sonst würde ich niemals an so etwas denken. Werde ich Kinder haben? Und wie wird das zugehen? Wenn mein zukünftiger Mann kein verachtungs-würdiger Mensch sein wird, dann, ja dann, das glaube ich bestimmt, werde ich ein Kind haben. Dann werde ich dieses Kind erziehen. Aber ich bedarf ja selber noch der Erziehung. Wie man nur so dum-mes Zeug denken kann!

Berlin ist die schönste, die bildungsreichste Stadt der Welt. Ich wäre abscheulich, wenn ich hiervon nicht felsenfest überzeugt wäre. Lebt nicht hier der Kaiser? Würde er hier zu wohnen nötig haben, wenn es ihm hier nicht am besten gefiele? Neulich sah ich Kronprinzens[1] im offenen Wagen. Sie sind entzückend. Der Kronprinz sieht wie ein junger, heiterer Gott aus, und wie schön erschien mir die hohe Frau

[1] *Kronprinzens*: Wilhelm (1882—1951) was Crown Prince of Germany while his father, Wilhelm II, was emperor. He married Cecilie von Mecklenburg-Schwerin (1886—1954) in 1905.

an seiner Seite! Sie war ganz in duftende Pelze gehüllt. Es schien Blüten aus dem blauen Himmel auf das Paar herabzuregnen. Der Tiergarten[1] ist herrlich. Ich gehe beinahe jeden Tag mit unserem Fräulein, der Erzieherin, darin spazieren. Man kann stundenlang, auf geraden und krummen Wegen, unter dem Grün gehen. Auch Vater, der sich doch eigentlich nicht zu begeistern brauchte, begeistert sich für den Tiergarten. Vater ist ein gebildeter Mensch. Ich glaube, er liebt mich rasend. Schrecklich, wenn er dies läse, aber ich werde das Geschriebene zerreißen. Im Grunde schickt es sich ja gar nicht, zugleich noch so dumm und so unreif zu sein wie ich und schon ein Tagebuch führen zu wollen. Aber manchmal langweilt man sich ein wenig, und dann läßt man sich sehr leicht zu Unpassendem hinreißen. Das Fräulein ist sehr nett. Nun ja, im allgemeinen. Sie ist treu, und sie liebt mich. Außerdem hat sie wirklichen Respekt vor Papa, das ist die Hauptsache. Sie ist dünn von Figur. Unsere frühere Erzieherin war dick wie ein Frosch. Sie schien immer zu platzen. Sie war Engländerin. Sie ist gewiß auch heute noch eine Engländerin, aber sie ging uns von dem Augenblick an, wo sie sich Frechheiten erlaubte, nichts mehr an. Vater hat sie fortgejagt.

Wir beide, Papa und ich, werden bald reisen. Es ist jetzt ja die Zeit, wo honette Leute einfach reisen müssen. Ist der nicht verdächtig, der zu solch einer grünenden und blühenden Zeit nicht reist? Papa zieht an den Meeresstrand, und er wird dort offenbar tagelang im Sand liegen und sich von der Sommersonne dunkelbraun braten lassen. Er sieht im September immer am gesündesten aus. Seinem Gesicht steht die Blässe der Abgespanntheit nicht gut. Übrigens liebe ich persönlich das Sonnverbrannte im Gesicht eines Mannes. Es ist dann, wie wenn er aus dem Krieg käme. Sind das nicht echte Kinderdummheiten? Ja, gewiß bin ich noch ein Kind. Was mich angeht, so reise ich nach dem Süden. Zuerst ein wenig nach München, dann nach Venedig, wo ein Mensch wohnt, der mir unsagbar nah steht. Mama. Meine Eltern leben aus Ursachen, deren Tiefe ich nicht zu verstehen, also nicht zu würdigen imstande bin, getrennt.

---

[1] *Der Tiergarten*: the central park of Berlin, originally a deer park, lying between the Brandenburger Tor and the western suburb of Charlottenburg.

Ich lebe die meiste Zeit bei Vati. Aber Mama hat natürlich auch das
Recht, mich wenigstens für eine Zeitlang zu besitzen. Ich freue mich
mächtig auf die bevorstehende Reise. Ich reise gern, und ich glaube,
daß fast alle Menschen gern reisen. Man steigt ein, der Zug fährt ab,
und nun geht es ins Weite. Man sitzt und wird in ungewisse Ferne
getragen. Wie gut ich es doch eigentlich habe! Weiß ich, was Not,
was Armut ist? Keine Spur. Ich finde, es ist auch gar nicht notwendig,
daß ich so nichtswürdige Erfahrungen mache. Aber die armen Kinder
dauern mich. Ich würde zum Fenster hinausspringen in solchen
Verhältnissen.

Ich und Papa wohnen im vornehmsten Viertel. Viertel, die still,
peinlich sauber und von einer gewissen Älte sind, sind vornehm.
Das ganz Neue? Ich möchte nicht in einem ganz neuen Haus wohnen.
Am Neuen ist stets irgend etwas nicht ganz in Ordnung. Man sieht
fast gar keine armen Leute, z.B. Arbeiter, in unserer Gegend, wo die
Häuser ihre Gärten haben. Es wohnen Fabrikbesitzer, Bankiers und
reiche Leute, deren Beruf der Reichtum ist, in unserer Nähe. Nun,
da muß also Papa zum mindesten sehr wohlhabend sein. Arme und
ärmere Leute können hier herum einfach gar nicht wohnen, weil die
Räumlichkeiten viel zu teuer sind. Papa sagt, die Klasse, in welcher
das Elend herrscht, lebe im Norden der Stadt. Welch eine Stadt!
Was ist das: der Norden? Ich kenne Moskau besser als den Norden
unserer Stadt. Von Moskau, Petersburg, Wladiwostok und aus
Yokohama sind mir zahlreiche Ansichtspostkarten geschickt worden.
Ich kenne den belgischen und holländischen Strand, ich kenne das
Engadin mit seinen himmelhohen Bergen und grünen Matten, aber
die eigene Stadt? Berlin ist vielleicht vielen, vielen Menschen, die es
bewohnen, ein Rätsel. Papa unterstützt die Kunst und die Künstler.
Es ist Handel, was er treibt. Nun, Fürsten treiben ebenfalls oft
Handel, und dann sind die Geschäfte Papas von einer absoluten
Vornehmheit. Er kauft und verkauft Gemälde. Es hängen sehr schöne
Gemälde in unserer Wohnung. Die Sache mit Vaters Geschäften,
glaube ich, ist so: die Künstler verstehen in der Regel nichts von
Geschäften, oder sie dürfen aus irgendwelchen Gründen nichts davon
verstehen. Oder es ist so: die Welt ist groß und kaltherzig. Die

Welt denkt nie an die Existenz von Künstlern. Da tritt nun mein Vater auf, der Weltmanieren besitzt und allerhand bedeutungsreiche Beziehungen hat und macht diese im Grunde vielleicht ganz kunstunbedürftige Welt auf die Kunst und auf die Künstler, die darben, auf schickliche und kluge Art aufmerksam. Papa verachtet oft seine Käufer. Aber er verachtet oft auch die Künstler. Es kommt da ganz darauf an.

Nein, ich möchte nirgends anderswo fest wohnen als in Berlin. Leben die Kinder der Kleinstädte, solcher Städte, die ganz alt und morsch sind, schöner? Gewiß gibt's dort manches, was es bei uns nicht gibt. Romantik? Ich glaube, ich irre mich nicht, wenn ich etwas, was nur noch halb lebt, für romantisch halte. Das Defekte, Zerbröckelte, Kranke, z.B. eine uralte Stadtmauer. Das, was zu nichts nützt, was auf geheimnisvolle Art schön ist, das ist romantisch. Ich träume gern von derartigen Dingen, und wie ich empfinde, genügt es, davon zu träumen. Schließlich ist das Romantischste, was es gibt, das Herz, und jeder fühlende Mensch trägt alte Städte, die von uralten Mauern umschlossen sind, in sich. Unser Berlin platzt bald überhaupt von Neuheit. Vater sagt, alles historisch Denkwürdige werde hier verschwinden, das alte Berlin kenne kein Mensch mehr. Vater weiß alles oder wenigstens fast alles. Nun, davon profitiert natürlich seine Tochter. Ja, kleine, mitten in der Landschaft gelegene Städte mögen schon auch schön sein. Es wird da reizende verborgene Schlupfwinkel zum Spielen geben, Höhlen, in die man hineinkriechen kann, Wiesen, Felder und nur ein paar Schritte weit entfernt der Wald. Solche Ortschaften sind ganz wie von Grün umkränzt; aber Berlin hat einen Eispalast, wo die Menschen mitten im heißesten Sommer Schlittschuh fahren. Berlin ist allen übrigen deutschen Städten eben einmal voran, in allen Dingen. Es ist die sauberste, modernste Stadt der Welt. Wer sagt das? Nun, natürlich Papa. Wie gut er eigentlich ist! Ja, ich kann viel von ihm lernen. Unsere Berliner Straßen haben alles Schmutzige und Holprige überwunden. Sie sind so glatt wie Eisflächen, und sie schimmern wie peinlich polierte Fußböden. Gegenwärtig sieht man einzelne Menschen Rollschuh laufen. Wer weiß, vielleicht werde ich das auch eines Tages tun, wenn es nicht vorher schon wieder außer Mode geraten ist. Es gibt hier Moden, die kaum Zeit haben, recht aufzutreten. Voriges Jahr haben alle Kinder, auch viele Erwachsene, Diabolo gespielt. Nun, dieses Spiel ist aus der Mode, man mag es nicht mehr spielen. So wechselt alles ab. Berlin gibt immer den Ton an. Es ist niemand zur Nachahmung verpflichtet, und doch ist die Frau Nachahmung die große und erhabene Gebieterin dieses Lebens. Jedermann ahmt nach.

Papa kann reizend sein; er ist eigentlich immer nett, aber zuweilen wird er wütend, über was, das kann man nicht wissen, und dann ist er häßlich. Ja, ich merke es an ihm, wie die heimliche Wut, wie der Mißmut den Menschen häßlich macht. Ist Papa nicht gut aufgelegt, so fühle ich mich unwillkürlich als geprügelter Hund; und deshalb sollte Papa vermeiden, seiner Umgebung, auch wenn sie nur aus einer Tochter besteht, seine Unpäßlichkeit und seine innere Unzufriedenheit zu zeigen. Väter begehen da, gerade da, Sünden. Das empfinde ich lebhaft. Aber wer hat keine Schwächen, keine, gar keine Fehler? Wer ist ohne Sünde? Eltern, die es nicht für nötig erachten, ihren Kindern ihre persönlichen Stürme vorzuenthalten, würdigen dieselben im Nu zu Sklaven herab. Böse Stimmungen soll ein Vater im stillen besiegen (aber wie schwer ist das!) oder er soll sie zu fremden Leuten tragen. Eine Tochter ist eine junge Dame, und in jedem gebildeten Erzeuger soll ein Kavalier lebendig sein. Ich sage ausdrücklich: ich befinde mich bei Vater überhaupt wie im Paradies, und wenn ich Mängel an ihm entdecke, so ist es die ohne Zweifel von ihm auf mich übergegangene, also seine, nicht meine Klugheit, die ihn scharf beobachtet. Papa mag nur füglich seinen Zorn an Leuten auslassen, die von ihm in gewisser Beziehung abhängig sind. Es umflattern ihn genug solche Leute.

Ich habe meine eigene Stube, meine Möbel, meinen Luxus, meine Bücher usw. Gott, ich bin eigentlich sehr reich ausgestattet. Bin ich Papa dankbar dafür? Welch eine geschmacklose Frage! Ich bin ihm gehorsam, und dann bin ich doch sein Besitz, und er darf schließlich doch stolz auf mich sein. Ich mache ihm Gedanken, ich bin seine häusliche Sorge, er darf mich anschnauzen, und ich sehe es immer als eine Art von feinsinniger Pflicht an, ihn auszulachen, wenn er mich anschnauzt. Papa schnauzt gern an, er hat Humor und ist zugleich temperamentvoll. Weihnachten überhäuft er mich mit Geschenken. Übrigens sind meine Möbel von einem gewiß nicht unberühmten Künstler entworfen. Papa verkehrt fast nur mit Leuten, die irgend einen Namen haben. Er verkehrt mit Namen. Steckt in solch einem Namen etwa auch noch ein Mensch, um so besser. Wie gräßlich muß es sein, zu wissen, daß man berühmt ist und zu fühlen, daß man das gar nicht verdient! Ich stelle mir viele solcher Berühmtheiten vor. Ist solch ein Ruhm nicht wie eine unheilbare Krankheit? Wie ich mich nur ausdrücke. Meine Möbel sind weiß lackiert und von einer kunstverständigen Hand mit Blumen und Früchten bemalt. Die sehen reizend aus, und der sie bemalt hat, ist ein ausgezeichneter Mensch, der von Vater sehr geschätzt wird. Wen Vater schätzt, der soll sich aber auch geschmeichelt fühlen. Ich meine, es bedeutet etwas, wenn Papa wohlwollend zu jemandem ist, und diejenigen, die das nicht empfinden und tun, als wenn es ihnen pipe sei, die schaden sich natürlich. Die blicken zu wenig hell in die Welt. Ich halte meinen Vater für einen durchaus seltenen Menschen; daß er in der Welt Einfluß ausübt, liegt klar auf der Hand. — Viele meiner Bücher langweilen mich. Nun, dann sind es eben nicht die rechten, wie z.B. sogenannte Bücher für "das Kind". Solche Bücher sind eine Unverschämtheit. Wie? Man erkühnt sich, Kindern Bücher zum Lesen zu geben, die nicht über ihren Horizont hinausgehen? Zu Kindern soll man nicht kindlich reden, das ist kindisch. Ich, die ich doch auch ein Kind bin, hasse das Kindische.

Wann werde ich aufhören, mich mit Spielsachen abzugeben? Nein, Spielsachen sind süß, und ich spiele mit der Puppe noch lange, das weiß ich, aber ich spiele bewußt. Ich weiß, daß es dumm ist, aber wie schön ist das Dumme und Nutzlose! So, denke ich mir, empfinden Künstlernaturen. Zu uns, d.h. zu Papa, kommen öfters verschiedene jüngere Künstler essen. Nun, sie werden eingeladen, und dann erscheinen sie. Oft schreibe die Einladungen ich, oft das Fräulein, und es herrscht dann eine große, amüsante Munterkeit an unserm Eßtisch, der natürlich, ohne zu prahlen oder geflissentlich zu prunken, wie der gedeckte Tisch eines feinen Hauses aussieht. Papa umgibt sich scheinbar sehr gern mit jungen Leuten, mit Leuten, die jünger sind als er, und doch ist er eigentlich immer der Lebhafteste und Jüngste. Man hört die meiste Zeit ihn reden: die übrigen horchen, oder sie erlauben sich kleine Bemerkungen, was oft sehr drollig ist. Vater überragt sie alle an Bildung und Schwung der Weltauffassung, und alle diese Leute lernen von ihm, das sehe ich deutlich. Oft muß ich lachen bei Tisch, dann kriege ich eine sanfte oder unsanfte Zurechtweisung. Ja, und nach dem Essen wird bei uns gefaulenzt. Papa legt sich aufs Ledersofa und fängt an zu schnarchen, was eigentlich recht schlechter Ton ist. Aber in Papas Benehmen bin ich verliebt. Mir gefällt auch seine aufrichtige Schnarcherei. Will man oder kann man denn immer Unterhaltung machen?

Vater gibt sicher viel Geld aus. Er hat Einnahmen und Ausgaben, er lebt, er erzielt Gewinne, und er läßt leben. Er sieht sogar ein wenig nach Vergeudung und Verschwendung aus. Er ist stets in Bewegung. Ganz offenbar gehört er zu den Menschen, für die es ein Genuß, ja eine Notwendigkeit ist, immer irgend etwas zu riskieren. Es ist bei uns viel von Erfolg und Mißerfolg die Rede. Wer bei uns ißt und mit uns verkehrt, der hat irgendwelche kleinere oder größere Erfolge in der Welt erzielt. Was ist Welt? Ein Gerücht, ein Gerede? Mein Vater steht jedenfalls mitten drin in diesem Gerede. Vielleicht dirigiert er es sogar bis zu gewissen Grenzen. Papas Ziel ist auf alle Fälle, Macht auszuüben. Er sucht sich und diejenigen, für die er sich interessiert, zu entfalten, zu behaupten. Sein Grundsatz ist: für wen ich mich nicht interessiere, der schadet sich. Infolge dieser Auffassung ist Papa immer von seinem gesunden Menschenwert durchdrungen und kann fest und sicher auftreten, und das schickt sich. Wer sich keine Bedeutung zumutet, dem macht es nichts, Schlechtigkeiten zu verüben. Wie rede ich! Habe ich das von Vater?

Genieße ich eine gute Erziehung? Ich verzichte darauf, das zu bezweifeln. Man erzieht mich, wie eine Großstädterin erzogen werden soll, mit Vertraulichkeit und zugleich mit einer gewissen gemessenen Strenge, die mir erlaubt und zugleich gebietet, mich an Takt zu gewöhnen. Der Mann, der mich heiraten wird, muß reich sein oder er muß begründete Aussichten auf einen festen Wohlstand besitzen. Arm? Ich kann nicht arm sein. Mir und Geschöpfen, die mir gleichen, ist es unmöglich, pekuniäre Not zu leiden. Das sind Dummheiten. Im übrigen werde ich ganz bestimmt die Einfachheit der Lebensführung bevorzugen. Ich mag äußern Prunk nicht leiden. Die Schlichtheit muß ein Luxus sein. Schimmern muß es von Properkeit in jeder Beziehung, und solche bis ins Letzte geforderte Lebensreinlichkeit kostet Geld. Die Annehmlichkeiten sind teuer. Wie energisch ich da rede! Ist das nicht ein bißchen unvorsichtig? Werde ich lieben? Was ist Liebe? Was für Seltsamkeiten und Herrlichkeiten müssen mir noch bevorstehen, da ich mir noch so unwissend vorkomme in Dingen, für deren Kenntnis ich noch zu jung bin. Was werde ich erleben?

FRANZ KAFKA

FRANZ KAFKA was born in 1883 in Prague. His upbringing was in a family strong in its Jewish traditions under the domination of an overbearing father who was a successful business-man. After studying law at Prague University, he was employed as an insurance official, but his heart was never in this work. Although more than once engaged, he never married. In 1917 tuberculosis compelled him to give up his office work. During his lifetime he published volumes of sketches, fables and stories: *Betrachtung* (1913), *Die Verwandlung* (1916), *Das Urteil* (1916), *In der Strafkolonie* (1919), *Ein Landarzt* (1920); the volume *Ein Hungerkünstler* appeared shortly after his death in 1924. Kafka requested his friend Max Brod to destroy all his unpublished manuscripts and to arrange, if possible, for what had appeared in print to be withdrawn and forgotten. Brod, however, decided not to obey this injunction, and the three important unfinished novels were published posthumously: *Der Prozeß* (1925), *Das Schloß* (1926) and *Amerika* (1927). Kafka's work became known in England in the nineteen-thirties through the translations of Edwin and Willa Muir and the biography of Brod (1935).

Kafka is a mysterious figure. His prose-style is in many ways simple and clear, particularly in his description of concrete, everyday reality, and his analytical reasoning is sharp and lucid. But the imaginative world he builds up is unique, and its interpretation full of problems. It has been seen in terms of sociology, of psycho-analysis, and of an anguished, but not unhumorous search for philosophical truth and religious belief; or as a deliberate puzzle, whose art lies in the parallel validity of several meanings.

Formally Kafka's work begins with brief prose-poems, sketches, parables and fables, varying in length from a few lines to a couple of pages. *Ein Hungerkünstler* is characteristic of a number of short stories which are more extended than the sketches and more finished than the novels. The protagonist of this story is both artist and artiste, his life being dedicated to the vocation of doing without food and drink; this calling makes the highest demands of resignation and passivity on the performer, but unlike a painter, writer or musician, he has nothing concrete to offer the audience. The starvation-artist has no use for earthly food, while the fairground visitors soon become indifferent to aspirations beyond their own limited horizon. Another of Kafka's short stories, *Josefine, die Sängerin*, depicts a situation which is closely parallel to that of the starvation-artist.

Ein Hungerkünstler is analysed by B. von Wiese in *Die deutsche Novelle von Goethe bis Kafka* (Düsseldorf, 1956). See also the studies by H. S. Reiss (Heidelberg, 1952, 2nd. ed. 1956), C. Neider (1949), R. Gray (1956), W. Emrich (1958) and K. Wagenbach (1958). R. Pascal, *The German Novel* (1956) and E. Heller, *The Disinherited Mind* (1952) contain essays on Kafka.

EIN HUNGERKÜNSTLER

IN den letzten Jahrzehnten ist das Interesse an Hungerkünstlern sehr zurückgegangen. Während es sich früher gut lohnte, große derartige Vorführungen in eigener Regie zu veranstalten, ist dies heute völlig unmöglich. Es waren andere Zeiten. Damals beschäftigte sich die ganze Stadt mit dem Hungerkünstler; von Hungertag zu Hungertag stieg die Teilnahme; jeder wollte den Hungerkünstler zumindest einmal täglich sehn; an den spätern Tagen gab es Abonnenten, welche tagelang vor dem kleinen Gitterkäfig saßen; auch in der Nacht fanden Besichtigungen statt, zur Erhöhung der Wirkung bei Fackelschein; an schönen Tagen wurde der Käfig ins Freie getragen, und nun waren es besonders die Kinder, denen der Hungerkünstler gezeigt wurde; während er für die Erwachsenen oft nur ein Spaß war, an dem sie der Mode halber teilnahmen, sahen die Kinder staunend, mit offenem Mund, der Sicherheit halber einander bei der Hand haltend, zu, wie er bleich, im schwarzen Trikot, mit mächtig vortretenden Rippen, sogar einen Sessel verschmähend, auf hingestreutem Stroh saß, einmal höflich nickend, angestrengt lächelnd Fragen beantwortete, auch durch das Gitter den Arm streckte, um seine Magerkeit befühlen zu lassen, dann aber wieder ganz in sich selbst versank, um niemanden sich kümmerte, nicht einmal um den für ihn so wichtigen Schlag der Uhr, die das einzige Möbelstück des Käfigs war, sondern nur vor sich hinsah mit fast geschlossenen Augen und hie und da aus einem winzigen Gläschen Wasser nippte, um sich die Lippen zu feuchten.

Außer den wechselnden Zuschauern waren auch ständige, vom Publikum gewählte Wächter da, merkwürdigerweise gewöhnlich Fleischhauer, welche, immer drei gleichzeitig, die Aufgabe hatten, Tag und Nacht den Hungerkünstler zu beobachten, damit er nicht etwa auf irgendeine heimliche Weise doch Nahrung zu sich nehme. Es war das aber lediglich eine Formalität, eingeführt zur Beruhigung der Massen, denn die Eingeweihten wußten wohl, daß der Hungerkünstler während der Hungerzeit niemals, unter keinen Umständen, selbst unter Zwang nicht, auch das geringste nur gegessen hätte; die Ehre seiner Kunst verbot dies. Freilich, nicht jeder Wächter konnte das begreifen, es fanden sich manchmal nächtliche Wachgruppen, welche die Bewachung sehr lax durchführten, absichtlich in eine ferne Ecke sich zusammensetzten und dort sich ins Kartenspiel vertieften, in der offenbaren Absicht, dem Hungerkünstler eine kleine Erfrischung zu gönnen, die er ihrer Meinung nach aus irgendwelchen geheimen Vorräten hervorholen konnte. Nichts war dem Hungerkünstler quälender als solche Wächter; sie machten ihn trübselig; sie machten ihm das Hungern entsetzlich schwer; manchmal überwand er seine Schwäche und sang während dieser Wachzeit, solange er es nur aushielt, um den Leuten zu zeigen, wie ungerecht sie ihn verdächtigten. Doch half das wenig; sie wunderten sich dann nur über seine Geschicklichkeit, selbst während des Singens zu essen. Viel lieber waren ihm die Wächter, welche sich eng zum Gitter setzten, mit der trüben Nachtbeleuchtung des Saales sich nicht begnügten, sondern ihn mit den elektrischen Taschenlampen bestrahlten, die ihnen der Impresario zur Verfügung stellte. Das grelle Licht störte ihn gar nicht, schlafen konnte er ja überhaupt nicht, und ein wenig hindämmern konnte er immer, bei jeder Beleuchtung und zu jeder Stunde, auch im übervollen, lärmenden Saal. Er war sehr gerne bereit, mit solchen Wächtern die Nacht gänzlich ohne Schlaf zu verbringen; er war bereit, mit ihnen zu scherzen, ihnen Geschichten aus seinem Wanderleben zu erzählen, dann wieder ihre Erzählungen anzuhören, alles nur, um sie wachzuhalten, um ihnen immer wieder zeigen zu können, daß er nichts Eßbares im Käfig hatte und daß er hungerte, wie keiner von ihnen es könnte. Am glücklichsten aber war er, wenn dann der Morgen kam und ihnen auf seine Rechnung ein überreiches Frühstück gebracht wurde, auf das sie sich warfen mit dem Appetit gesunder Männer nach einer mühevoll durchwachten Nacht. Es gab zwar sogar Leute, die in diesem Frühstück eine ungebührliche Beeinflussung der Wächter sehen wollten, aber das ging doch zu weit, und wenn man sie fragte, ob etwa sie nur um der Sache willen ohne Frühstück die Nachtwache übernehmen wollten, verzogen sie sich, aber bei ihren Verdächtigungen blieben sie dennoch.

Dieses allerdings gehörte schon zu den vom Hungern überhaupt nicht zu trennenden Verdächtigungen. Niemand war ja imstande, alle die Tage und Nächte beim Hungerkünstler ununterbrochen als Wächter zu verbringen, niemand also konnte aus eigener Anschauung wissen, ob wirklich ununterbrochen, fehlerlos gehungert worden war; nur der Hungerkünstler selbst konnte das wissen, nur er also gleichzeitig der von seinem Hungern vollkommen befriedigte Zuschauer sein. Er war aber wieder aus einem andern Grunde niemals befriedigt; vielleicht war er gar nicht vom Hungern so sehr abgemagert, daß manche zu ihrem Bedauern den Vorführungen fernbleiben mußten, weil sie seinen Anblick nicht ertrugen, sondern er war nur so abgemagert aus Unzufriedenheit mit sich selbst. Er allein nämlich wußte, auch kein Eingeweihter sonst wußte das, wie leicht das Hungern war. Es war die leichteste Sache von der Welt. Er verschwieg es auch nicht, aber man glaubte ihm nicht, hielt ihn günstigenfalls für bescheiden, meist aber für reklamesüchtig oder gar für einen Schwindler, dem das Hungern allerdings leicht war, weil er es sich leicht zu machen verstand, und der auch noch die Stirn hatte, es halb zu gestehn. Das alles mußte er hinnehmen, hatte sich auch im Laufe der Jahre daran gewöhnt, aber innerlich nagte diese Unbefriedigtheit immer an ihm, und noch niemals, nach keiner Hungerperiode — dieses Zeugnis mußte man ihm ausstellen — hatte er freiwillig den Käfig verlassen. Als Höchstzeit für das Hungern hatte der Impresario vierzig Tage festgesetzt, darüber hinaus ließ er niemals hungern, auch in den Weltstädten nicht, und zwar aus gutem Grund. Vierzig Tage etwa konnte man erfahrungsgemäß durch allmählich sich steigernde Reklame das Interesse einer Stadt immer mehr aufstacheln, dann aber versagte das Publikum, eine wesentliche Abnahme des Zuspruchs war festzustellen; es bestanden natürlich in dieser Hinsicht kleine Unterschiede zwischen den Städten und Ländern, als Regel aber galt, daß vierzig Tage die Höchstzeit war. Dann also am vierzigsten Tage wurde die Tür des mit Blumen umkränzten Käfigs geöffnet, eine begeisterte Zuschauerschaft erfüllte das Amphitheater, eine Militärkapelle spielte, zwei Ärzte betraten den Käfig, um die nötigen Messungen am Hungerkünstler vorzunehmen, durch ein Megaphon wurden die Resultate dem Saale verkündet, und schließlich kamen zwei junge Damen, glücklich darüber, daß gerade sie ausgelost worden waren, und wollten den Hungerkünstler aus dem Käfig ein paar Stufen hinabführen, wo auf einem kleinen Tischchen eine sorgfältig ausgewählte Krankenmahlzeit serviert war. Und in diesem Augenblick wehrte sich der Hungerkünstler immer. Zwar legte er noch freiwillig seine Knochenarme in die hilfsbereit ausgestreckten Hände der zu ihm hinabgebeugten Damen, aber aufstehen wollte er nicht. Warum gerade jetzt nach vierzig Tagen aufhören? Er hätte es noch lange, unbeschränkt lange ausgehalten; warum gerade jetzt aufhören, wo er im besten, ja noch nicht einmal im besten Hungern war? Warum wollte man ihn des Ruhmes berauben, weiter zu hungern, nicht nur der größte Hungerkünstler aller Zeiten zu werden, der er ja wahrscheinlich schon war, aber auch noch sich selbst zu übertreffen bis ins Unbegreifliche, denn für seine Fähigkeit zu hungern fühlte er keine Grenzen. Warum hatte diese Menge, die ihn so sehr zu bewundern vorgab, so wenig Geduld mit ihm; wenn er es aushielt, noch weiter zu hungern, warum wollte sie es nicht aushalten? Auch war er müde, saß gut im Stroh und sollte sich nun hoch und lang aufrichten und zu dem Essen gehn, das ihm schon allein in der Vorstellung Übelkeiten verursachte, deren Äußerung er nur mit Rücksicht auf die Damen mühselig unterdrückte. Und er blickte empor in die Augen der scheinbar so freundlichen, in Wirklichkeit so grausamen Damen und schüttelte den auf dem schwachen Halse überschweren Kopf. Aber dann geschah, was immer geschah. Der Impresario kam, hob stumm — die Musik machte das Reden unmöglich — die Arme über dem Hungerkünstler, so, als lade er den Himmel ein, sich sein Werk hier auf dem Stroh einmal anzusehn, diesen bedauernswerten Märtyrer, welcher der Hungerkünstler allerdings war, nur in ganz anderem Sinn; faßte den Hungerkünstler um die dünne Taille, wobei er durch übertriebene Vorsicht glaubhaft machen wollte, mit einem wie gebrechlichen Ding er es hier zu tun habe; und übergab ihn — nicht ohne ihn im geheimen ein wenig zu schütteln, so daß der Hungerkünstler mit den Beinen und dem Oberkörper unbeherrscht hin und her schwankte — den inzwischen totenbleich gewordenen Damen. Nun duldete der Hungerkünstler alles; der Kopf lag auf der Brust, es war, als sei er hingerollt und halte sich dort unerklärlich; der Leib war ausgehöhlt; die Beine drückten sich im Selbsterhaltungstrieb fest in den Knien aneinander, scharrten aber doch den Boden, so, als sei es nicht der wirkliche, den wirklichen suchten sie erst; und die ganze, allerdings sehr kleine Last des Körpers lag auf einer der Damen, welche hilfesuchend, mit fliegendem Atem — so hatte sie sich dieses Ehrenamt nicht vorgestellt — zuerst den Hals möglichst streckte, um wenigstens das Gesicht vor der Berührung mit dem Hungerkünstler zu bewahren, dann aber, da ihr dies nicht gelang und ihre glücklichere Gefährtin ihr nicht zu Hilfe kam, sondern sich damit begnügte, zitternd die Hand des Hungerkünstlers, dieses kleine Knochenbündel, vor sich herzutragen, unter dem entzückten Gelächter des Saales in Weinen ausbrach und von einem längst bereitgestellten Diener abgelöst werden mußte. Dann kam das Essen, von dem der Impresario dem Hungerkünstler während eines ohnmachtähnlichen Halbschlafes ein wenig einflößte, unter lustigem Plaudern, das die Aufmerksamkeit vom Zustand des Hungerkünstlers ablenken sollte: dann wurde noch ein Trinkspruch auf das Publikum ausgebracht, welcher dem Impresario angeblich vom Hungerkünstler zugeflüstert worden war; das Orchester bekräftigte alles durch einen großen Tusch, man ging auseinander, und niemand hatte das Recht, mit dem Gesehenen unzufrieden zu sein, niemand, nur der Hungerkünstler, immer nur er.

So lebte er mit regelmäßigen kleinen Ruhepausen viele Jahre, in scheinbarem Glanz, von der Welt geehrt, bei alledem aber meist in trüber Laune, die immer noch trüber wurde dadurch, daß niemand sie ernst zu nehmen verstand. Womit sollte man ihn auch trösten? Was blieb ihm zu wünschen übrig? Und wenn sich einmal ein Gutmütiger fand, der ihn bedauerte und ihm erklären wollte, daß seine Traurigkeit wahrscheinlich von dem Hungern käme, konnte es, besonders bei vorgeschrittener Hungerzeit, geschehn, daß der Hungerkünstler mit einem Wutausbruch antwortete und zum Schrecken aller wie ein Tier an dem Gitter zu rütteln begann. Doch hatte für solche Zustände der Impresario ein Strafmittel, das er gern anwandte. Er entschuldigte den Hungerkünstler vor versammeltem Publikum, gab zu, daß nur die durch das Hungern hervorgerufene, für satte Menschen nicht ohne weiteres begreifliche Reizbarkeit das Benehmen des Hungerkünstlers verzeihlich machen könne; kam dann im Zusammenhang damit auch auf die ebenso zu erklärende Behauptung des Hungerkünstlers zu sprechen, er könnte noch viel länger hungern, als er hungere; lobte das hohe Streben, den guten Willen, die große Selbstverleugnung, die gewiß auch in dieser Behauptung enthalten seien; suchte dann aber die Behauptung einfach genug durch Vorzeigen von Photographien, die gleichzeitig verkauft wurden, zu widerlegen, denn auf den Bildern sah man den Hungerkünstler an einem vierzigsten Hungertag, im Bett, fast verlöscht vor Entkräftung. Diese dem Hungerkünstler zwar wohlbekannte, immer aber von neuem ihn entnervende Verdrehung der Wahrheit war ihm zu viel. Was die Folge der vorzeitigen Beendigung des Hungerns war, stellte man hier als die Ursache dar! Gegen diesen Unverstand, gegen diese Welt des Unverstandes zu kämpfen, war unmöglich. Noch hatte er immer wieder in gutem Glauben begierig am Gitter dem Impresario zugehört, beim Erscheinen der Photographien aber ließ er das Gitter jedesmal los, sank mit Seufzen ins Stroh zurück, und das beruhigte Publikum konnte wieder herankommen und ihn besichtigen.

Wenn die Zeugen solcher Szenen ein paar Jahre später daran zurückdachten, wurden sie sich oft selbst unverständlich. Denn in-

zwischen war jener erwähnte Umschwung eingetreten; fast plötzlich war das geschehen; es mochte tiefere Gründe haben, aber wem
lag daran, sie aufzufinden; jedenfalls sah sich eines Tages der verwöhn-
te Hungerkünstler von der vergnügungssüchtigen Menge verlassen,
die lieber zu anderen Schaustellungen strömte. Noch einmal jagte
der Impresario mit ihm durch halb Europa, um zu sehn, ob sich nicht
noch hie und da das alte Interesse wiederfände; alles vergeblich;
wie in einem geheimen Einverständnis hatte sich überall geradezu
eine Abneigung gegen das Schauhungern ausgebildet. Natürlich
hatte das in Wirklichkeit nicht plötzlich so kommen können, und
man erinnerte sich jetzt nachträglich an manche zu ihrer Zeit im
Rausch der Erfolge nicht genügend beachtete, nicht genügend
unterdrückte Vorboten, aber jetzt etwas dagegen zu unternehmen,
war zu spät. Zwar war es sicher, daß einmal auch für das Hungern
wieder die Zeit kommen werde, aber für die Lebenden war das kein
Trost. Was sollte nun der Hungerkünstler tun? Der, welchen Tau-
sende umjubelt hatten, konnte sich nicht in Schaubuden auf kleinen
Jahrmärkten zeigen, und um einen andern Beruf zu ergreifen, war der
Hungerkünstler nicht nur zu alt, sondern vor allem dem Hungern
allzu fanatisch ergeben. So verabschiedete er denn den Impresario,
den Genossen einer Laufbahn ohnegleichen, und ließ sich von einem
großen Zirkus engagieren; um seine Empfindlichkeit zu schonen, sah
er die Vertragsbedingungen gar nicht an.

Ein großer Zirkus mit seiner Unzahl von einander immer wieder
ausgleichenden und ergänzenden Menschen und Tieren und Appa-
raten kann jeden und zu jeder Zeit gebrauchen, auch einen Hungerkünstler, bei entsprechend bescheidenen Ansprüchen natürlich, und
außerdem war es ja in diesem besonderen Fall nicht nur der Hungerkünstler selbst, der engagiert wurde, sondern auch sein alter berühm-
ter Name, ja man konnte bei der Eigenart dieser im zunehmenden
Alter nicht abnehmenden Kunst nicht einmal sagen, daß ein aus-
gedienter, nicht mehr auf der Höhe seines Könnens stehender Künstler sich in einen ruhigen Zirkusposten flüchten wolle, im Gegenteil,
der Hungerkünstler versicherte, daß er, was durchaus glaubwürdig
war, ebensogut hungere wie früher, ja er behauptete sogar, er werde,

wenn man ihm seinen Willen lasse, und dies versprach man ihm ohne weiteres, eigentlich erst jetzt die Welt in berechtigtes Erstaunen setzen, eine Behauptung allerdings, die mit Rücksicht auf die Zeitstimmung, welche der Hungerkünstler im Eifer leicht vergaß, bei den Fachleuten nur ein Lächeln hervorrief.

Im Grunde aber verlor auch der Hungerkünstler den Blick für die wirklichen Verhältnisse nicht und nahm es als selbstverständlich hin, daß man ihn mit seinem Käfig nicht etwa als Glanznummer mitten in die Manege stellte, sondern draußen an einem im übrigen recht gut zugänglichen Ort in der Nähe der Stallungen unterbrachte. Große, bunt gemalte Aufschriften umrahmten den Käfig und verkündeten, was dort zu sehen war. Wenn das Publikum in den Pausen der Vorstellung zu den Ställen drängte, um die Tiere zu besichtigen, war es fast unvermeidlich, daß es beim Hungerkünstler vorüberkam und ein wenig dort haltmachte, man wäre vielleicht länger bei ihm geblieben, wenn nicht in dem schmalen Gang die Nachdrängenden, welche diesen Aufenthalt auf dem Weg zu den ersehnten Ställen nicht verstanden, eine längere ruhige Betrachtung unmöglich gemacht hätten. Dieses war auch der Grund, warum der Hungerkünstler vor diesen Besuchszeiten, die er als seinen Lebenszweck natürlich herbeiwünschte, doch auch wieder zitterte. In der ersten Zeit hatte er die Vorstellungspausen kaum erwarten können; entzückt hatte er der sich heranwälzenden Menge entgegengesehn, bis er sich nur zu bald — auch die hartnäckigste, fast bewußte Selbsttäuschung hielt den Erfahrungen nicht stand — davon überzeugte, daß es zumeist der Absicht nach, immer wieder, ausnahmslos, lauter Stallbesucher waren. Und dieser Anblick von der Ferne blieb noch immer der schönste. Denn wenn sie bis zu ihm herangekommen waren, umtobte ihn sofort Geschrei und Schimpfen der ununterbrochen neu sich bildenden Parteien, jener, welche — sie wurde dem Hungerkünstler bald die peinlichere — ihn bequem ansehen wollte, nicht etwa aus Verständnis, sondern aus Laune und Trotz, und jener zweiten, die zunächst nur nach den Ställen verlangte. War der große Haufe vorüber, dann kamen die Nachzügler, und diese allerdings, denen es nicht mehr verwehrt war, stehenzubleiben, solange sie nur Lust hatten, eilten mit langen Schritten, fast ohne Seitenblick, vorüber, um rechtzeitig zu den Tieren zu kommen. Und es war kein allzu häufiger Glücksfall, daß ein Familienvater mit seinen Kindern kam, mit dem Finger auf den Hungerkünstler zeigte, ausführlich erklärte, um was es sich hier handelte, von früheren Jahren erzählte, wo er bei ähnlichen, aber unvergleichlich großartigeren Vorführungen gewesen war, und dann die Kinder, wegen ihrer ungenügenden Vorbereitung von Schule und Leben her, zwar immer noch verständnislos blieben — was war ihnen Hungern? —, aber doch in dem Glanz ihrer forschenden Augen etwas von neuen, kommenden, gnädigeren Zeiten verrieten. Vielleicht, so sagte sich der Hungerkünstler dann manchmal, würde alles doch ein wenig besser werden, wenn sein Standort nicht gar so nahe bei den Ställen wäre. Den Leuten wurde dadurch die Wahl zu leicht gemacht, nicht zu reden davon, daß ihn die Ausdünstungen der Ställe, die Unruhe der Tiere in der Nacht, das Vorübertragen der rohen Fleischstücke für die Raubtiere, die Schreie bei der Fütterung sehr verletzten und dauernd bedrückten. Aber bei der Direktion vorstellig zu werden, wagte er nicht; immerhin verdankte er ja den Tieren die Menge der Besucher, unter denen sich hie und da auch ein für ihn Bestimmter finden konnte, und wer wußte, wohin man ihn verstecken würde, wenn er an seine Existenz erinnern wollte und damit auch daran, daß er, genau genommen, nur ein Hindernis auf dem Weg zu den Ställen war.

Ein kleines Hindernis allerdings, ein immer kleiner werdendes Hindernis. Man gewöhnte sich an die Sonderbarkeit, in den heutigen Zeiten Aufmerksamkeit für einen Hungerkünstler beanspruchen zu wollen, und mit dieser Gewöhnung war das Urteil über ihn gesprochen. Er mochte so gut hungern, als er nur konnte, und er tat es, aber nichts konnte ihn mehr retten, man ging an ihm vorüber. Versuche, jemandem die Hungerkünstler zu erklären! Wer es nicht fühlt, dem kann man es nicht begreiflich machen. Die schönen Aufschriften wurden schmutzig und unleserlich, man riß sie herunter, niemandem fiel es ein, sie zu ersetzen; das Täfelchen mit der Ziffer der abgeleisteten Hungertage, das in der ersten Zeit sorgfältig täglich erneut worden war, blieb schon längst immer das gleiche, denn nach den ersten Wochen war das Personal selbst dieser kleinen Arbeit überdrüssig geworden: und so hungerte zwar der Hungerkünstler weiter, wie er es früher einmal erträumt hatte, und es gelang ihm ohne Mühe ganz so, wie er es damals vorausgesagt hatte, aber niemand zählte die Tage, niemand, nicht einmal der Hungerkünstler selbst wußte, wie groß die Leistung schon war, und sein Herz wurde schwer. Und wenn einmal in der Zeit ein Müßiggänger stehenblieb, sich über die alte Ziffer lustig machte und von Schwindel sprach, so war das in diesem Sinn die dümmste Lüge, welche Gleichgültigkeit und eingeborene Bösartigkeit erfinden konnte, denn nicht der Hungerkünstler betrog, er arbeitete ehrlich, aber die Welt betrog ihn um seinen Lohn.

Doch vergingen wieder viele Tage, und auch das nahm ein Ende. Einmal fiel einem Aufseher der Käfig auf, und er fragte die Diener, warum man hier diesen gut brauchbaren Käfig mit dem verfaulten Stroh drinnen unbenützt stehenlasse; niemand wußte es, bis sich einer mit Hilfe der Ziffertafel an den Hungerkünstler erinnerte. Man rührte mit Stangen das Stroh auf und fand den Hungerkünstler darin. "Du hungerst noch immer?" fragte der Aufseher, "wann wirst du denn endlich aufhören?" "Verzeiht mir alle", flüsterte der Hungerkünstler; nur der Aufseher, der das Ohr ans Gitter hielt, verstand ihn. "Gewiß", sagte der Aufseher und legte den Finger an die Stirn, um damit den Zustand des Hungerkünstlers dem Personal anzudeuten, "wir verzeihen dir." "Immerfort wollte ich, daß ihr mein Hungern bewundert", sagte der Hungerkünstler. "Wir bewundern es auch", sagte der Aufseher entgegenkommend. "Ihr solltet es aber nicht bewundern," sagte der Hungerkünstler. "Nun, dann bewundern wir es also nicht", sagte der Aufseher, "warum sollen wir es denn nicht bewundern?" "Weil ich hungern muß, ich kann nicht anders", sagte der Hungerkünstler. "Da sieh mal einer", sagte der Aufseher, "warum kannst du denn nicht anders?" "Weil ich", sagte der Hungerkünstler, hob das Köpfchen ein wenig und sprach mit wie zum Kuß gespitzten Lippen gerade in das Ohr des Aufsehers hinein, damit nichts verloren ginge, "weil ich nicht die Speise finden konnte, die mir schmeckt. Hätte ich sie gefunden, glaube mir, ich hätte kein Aufsehen gemacht und mich vollgegessen wie du und alle." Das waren die letzten Worte, aber noch in seinen gebrochenen Augen war die feste, wenn auch nicht mehr stolze Überzeugung, daß er weiterhungere.

"Nun macht aber Ordnung!" sagte der Aufseher, und man begrub den Hungerkünstler samt dem Stroh. In den Käfig aber gab man einen jungen Panther. Es war eine selbst dem stumpfsten Sinn fühlbare Erholung, in dem so lange öden Käfig dieses wilde Tier sich herumwerfen zu sehn. Ihm fehlte nichts. Die Nahrung, die ihm schmeckte, brachten ihm ohne langes Nachdenken die Wächter; nicht einmal die Freiheit schien er zu vermissen; dieser edle, mit allem Nötigen bis knapp zum Zerreißen ausgestattete Körper schien auch die Freiheit mit sich herumzutragen; irgendwo im Gebiß schien sie zu stecken; und die Freude am Leben kam mit derart starker Glut aus seinem Rachen, daß es für die Zuschauer nicht leicht war, ihr standzuhalten. Aber sie überwanden sich, umdrängten den Käfig und wollten sich gar nicht fortrühren.

STEFAN ZWEIG

Born in Vienna in 1881 as the son of a Viennese industrialist, Stefan Zweig studied literature at German and French universities, and came to share with Hesse an admiration for Rolland and an opposition to the war of 1914—1918. In 1935 he emigrated from Austria to England, and then to South America. He took his own life in 1942 in Rio de Janeiro, overwhelmed by the course of world events which he had long followed with concern and humanitarian sympathy. He published a volume of verse in the Neo-Romantic manner as early as 1901, and during the heyday of the Expressionist movement wrote a number of plays, the best known being *Jeremias* (1917). His *Novellen*, written from 1904 onwards until near the end of his life, are often concerned with psychological complexities, though the short story *Episode am Genfer See* conveys with poignancy the confusion of feeling in which a simple man is involved when confronted by a pressure of external events that he feels unable to face. Between the wars Zweig wrote various literary and historical studies, including the volume of interpretations of Hölderlin, Kleist and Nietzsche, *Der Kampf mit dem Dämon* (1925), and the "historical miniatures", *Sternstunden der Menschheit* (1928). His autobiography *Die Welt von Gestern* (1941) takes the story of his life from childhood up to the outbreak of the war in 1939. Much of Zweig's work has been translated into English. *Vier Novellen* have been edited by H. Jensen (1955). Friderike Zweig's biography of her husband was published in 1946.

The ideal implicit in the following story may be stated in words written by the author in 1937, and quoted here from the essay "Zweig and Rolland: the Literary and Personal Relationship", by W. H. MacClain and H. Zohn (*Germanic Review*, vol. 28, 1953): "....auch das Fremdeste zu verstehen, immer Völker und Zeiten, Gestalten und Werke nur in ihrem positiven, ihrem schöpferischen Sinne zu bewerten und durch solches Verstehenwollen und Verstehenmachen demütig, aber treu unserem unzerstörbaren Ideal zu dienen: der humanen Verständigung zwischen Menschen, Gesinnungen, Kulturen und Nationen."

EPISODE AM GENFER SEE

Am Ufer des Genfer Sees, in der Nähe des kleinen Schweizer Ortes
Villeneuve, wurde in einer Sommernacht des Jahres 1918 ein Fischer,
der sein Boot auf den See hinausgerudert hatte, eines merkwürdigen
Gegenstandes mitten auf dem Wasser gewahr, und näherkommend
erkannte er ein Gefährt aus lose zusammengefügten Balken, das ein
nackter Mann in ungeschickten Bewegungen mit einem als Ruder
verwendeten Brett vorwärts zu treiben suchte. Staunend steuerte
der Fischer heran, half dem Erschöpften in sein Boot, deckte seine
Blöße notdürftig mit Netzen und versuchte dann, mit dem frost-
zitternden, scheu in den Winkel des Bootes gedrückten Menschen
zu sprechen; der aber antwortete in einer fremdartigen Sprache,
von der nicht ein einziges Wort der seinen glich. Bald gab der Hilf-
reiche jede weitere Mühe auf, raffte seine Netze empor und ruderte
mit rascheren Schlägen dem Ufer zu.

In dem Maße, als im frühen Licht die Umrisse des Ufers aufglänzten,
begann sich auch das Antlitz des nackten Menschen zu erhellen; ein
kindliches Lachen schälte sich aus dem Bartgewühl seines breiten
Mundes, die eine Hand hob sich deutend hinüber, und immer wieder
fragend und halb schon gewiß, stammelte er ein Wort, das wie
"Rossiya" klang und immer glückseliger tönte, je näher der Kiel
sich dem Ufer entgegenstieß. Endlich knirschte das Boot auf den
Strand; des Fischers weibliche Anverwandte, die auf nasse Beute
harrten, stoben kreischend, wie einst die Mägde Nausikaas,[1] auseinander, da sie des nackten Mannes im Fischernetz ansichtig wurden;
allmählich erst, von der seltsamen Kunde angelockt, sammelten sich
verschiedene Männer des Dorfes, denen sich alsbald würdebewußt
und amtseifrig der wackere Weibel des Ortes zugesellte. Ihm war es
aus mancher Instruktion und der reichen Erfahrung der Kriegszeit
sofort gewiß, daß dies ein Deserteur sein müsse, vom französischen
Ufer herübergeschwommen, und schon rüstete er sich zu amtlichem

[1] *die Mägde Nausikaas*: Nausicaa, the daughter of Alcinous, king of the Phaeacians,
escorted Ulysses to her father's court when he was shipwrecked on the coast
(Homer, *Odyssey*, vi).

Verhör, aber dieser umständliche Versuch verlor baldigst an Würde und Wert durch die Tatsache, daß der nackte Mensch (dem inzwischen einige der Bewohner eine Jacke und eine Zwilchhose zugeworfen) auf alle Fragen nichts als immer ängstlicher und unsicherer seinen fragenden Ausruf "Rossiya? Rossiya?" wiederholte. Ein wenig ärgerlich über seinen Mißerfolg, befahl der Weibel dem Fremden durch nicht mißzuverstehende Gebärden, ihm zu folgen, und, umjohlt von der inzwischen erwachten Gemeindejugend, wurde der nasse, nacktbeinige Mensch in seiner schlotternden Hose und Jacke auf das Amthaus gebracht und dort in Verwahr genommen. Er wehrte sich nicht, sprach kein Wort, nur seine hellen Augen waren dunkel geworden vor Enttäuschung, und seine hohen Schultern duckten sich wie unter gefürchtetem Schlage.

Die Kunde von dem menschlichen Fischfang hatte sich inzwischen bis zu den nahen Hotels verbreitet, und einer ergötzlichen Episode in der Eintönigkeit des Tages froh, kamen einige Damen und Herren herüber, den wilden Menschen zu betrachten. Eine Dame schenkte ihm Konfekt, das er mißtrauisch wie ein Affe liegen ließ; ein Herr machte eine photographische Aufnahme, alle schwatzten und sprachen lustig um ihn herum, bis endlich der Manager eines großen Gasthofes, der lange im Ausland gelebt hatte und mehrerer Sprachen mächtig war, an den schon ganz Verängstigten nacheinander auf deutsch, italienisch, englisch und schließlich russisch das Wort richtete. Kaum hatte er den ersten Laut seiner heimischen Sprache vernommen, zuckte der Verängstigte auf, ein breites Lachen teilte sein gutmütiges Gesicht von einem Ohr zum andern, und plötzlich sicher und freimütig erzählte er seine ganze Geschichte. Sie war sehr lang und sehr verworren, in ihren Einzelberichten auch nicht immer dem zufälligen Dolmetsch verständlich, doch war im wesentlichen das Schicksal dieses Menschen das folgende:

Er hatte in Rußland gekämpft, war dann eines Tages mit tausend andern in Waggons verpackt worden und sehr weit gefahren, dann wieder in Schiffe verladen und noch länger mit ihnen gefahren durch Gegenden, wo es so heiß war, daß, wie er sich ausdrückte, einem die Knochen im Fleisch weichgebraten wurden.

Schließlich waren sie irgendwo wieder gelandet und in Waggons verpackt worden und hatten dann mit einemmal einen Hügel zu stürmen, worüber er nichts Näheres wußte, weil ihn gleich zu Anfang eine Kugel ins Bein getroffen habe. Den Zuhörern, denen der Dolmetsch Rede und Antwort übersetzte, war sofort klar, daß dieser Flüchtling ein Angehöriger jener russischen Divisionen in Frankreich war, die man über die halbe Erde, über Sibirien und Wladiwostok an die französische Front geschickt hatte, und es regte sich mit einem gewissen Mitleid bei allen gleichzeitig die Neugier, was ihn vermocht habe, diese seltsame Flucht zu versuchen. Mit halb gutmütigem, halb listigem Lächeln erzählte bereitwillig der Russe, kaum genesen, habe er die Pfleger gefragt, wo Rußland sei, und sie hätten ihm die Richtung gedeutet, die er durch die Stellung der Sonne und der Sterne sich ungefähr bewahrt hatte, und so sei er heimlich entwichen, nachts wandernd, tagsüber vor den Patrouillen in Heuschobern sich versteckend. Gegessen habe er Früchte und gebetteltes Brot, zehn Tage lang, bis er endlich an diesen See gekommen. Nun wurden seine Erklärungen undeutlicher; es schien, daß er, aus der Nähe des Baikalsees stammend, vermeint hatte, am andern Ufer, dessen bewegte Linien er im Abendlicht erblickte, müsse Rußland liegen. Jedenfalls hatte er sich aus einer Hütte zwei Balken gestohlen und war auf ihnen, bäuchlings liegend, mit Hilfe eines als Ruder benützten Brettes weit in den See hinausgekommen, wo ihn der Fischer auffand. Die ängstliche Frage, mit der er seine unklare Erzählung beschloß, ob er schon morgen daheim sein könne, erweckte, kaum übersetzt, durch ihre Unbelehrtheit erst lautes Gelächter, das aber bald gerührtem Mitleid wich, und jeder steckte dem unsicher und kläglich um sich Blickenden ein paar Geldmünzen oder Banknoten zu.

Inzwischen war auf telephonische Verständigung aus Montreux ein höherer Polizeioffizier erschienen, der mit nicht geringer Mühe ein Protokoll über den Vorfall aufnahm. Denn nicht nur, daß der zufällige Dolmetsch sich als unzulänglich erwies, bald wurde auch die für Westländer gar nicht faßbare Unbildung dieses Menschen klar, dessen Wissen um sich selbst kaum den eigenen Vornamen

Boris überschritt und der von seinem Heimatdorf nur äußerst verworrene Darstellungen zu geben vermochte, etwa, daß sie Leibeigene des Fürsten Metschersky seien (er sagte Leibeigene, obwohl doch seit einem Menschenalter diese Fron abgeschafft war) und daß er fünfzig Werst vom großen See entfernt mit seiner Frau und drei Kindern wohne. Nun begann die Beratung über sein Schicksal, indes er mit stumpfem Blick geduckt inmitten der Streitenden stand: die einen meinten, man müsse ihn der russischen Gesandtschaft nach Bern überweisen, andere befürchteten von solcher Maßnahme eine Rücksendung nach Frankreich; der Polizeibeamte erläuterte die ganze Schwierigkeit der Frage, ob er als Deserteur oder als dokumentenloser Ausländer behandelt werden solle; der Gemeindeschreiber des Ortes wehrte gleich von vornherein die Möglichkeit ab, daß man gerade hier den fremden Esser zu ernähren und zu beherbergen hätte. Ein Franzose schrie erregt, man solle mit dem elenden Durchbrenner nicht so viel Geschichten machen, er solle arbeiten oder zurückspediert werden; zwei Frauen wandten heftig ein, er sei nicht schuld an seinem Unglück, es sei ein Verbrechen, Menschen aus ihrer Heimat in ein fremdes Land zu verschicken. Schon drohte sich aus dem zufälligen Anlaß ein politischer Zwist zu entspinnen, als plötzlich ein alter Herr, ein Däne, dazwischenfuhr und energisch erklärte, er bezahle den Unterhalt dieses Menschen für acht Tage, inzwischen sollten die Behörden mit der Gesandtschaft ein Übereinkommen treffen; eine unerwartete Lösung, welche sowohl die amtlichen als auch die privaten Parteien zufriedenstellte.

Während der immer erregter werdenden Diskussion hatte sich der scheue Blick des Flüchtlings allmählich erhoben und hing unverwandt an den Lippen des Managers, des einzigen innerhalb dieses Getümmels, von dem er wußte, daß er ihm verständlich sein Schicksal sagen könne. Dumpf schien er den Wirbel zu spüren, den seine Gegenwart erregte, und ganz unbewußt hob er, als jetzt der Wortlärm abschwoll, durch die Stille beide Hände flehentlich gegen ihn auf, wie Frauen vor einem heiligen Bild. Das Rührende dieser Gebärde ergriff unwiderstehlich jeden einzelnen. Der Manager trat herzlich auf ihn zu und beruhigte ihn, er möge ohne Angst sein, er

könne unbehelligt hier verweilen, im Gasthof würde die nächste
Zeit über für ihn gesorgt werden. Der Russe wollte ihm die Hand
küssen, die ihm jedoch der andere rücktretend rasch entzog. Dann
wies er ihm noch das Nachbarhaus, eine kleine Dorfwirtschaft, wo er
Bett und Nahrung finden würde, sprach nochmals zu ihm einige
herzliche Worte der Beruhigung und ging dann, ihm noch einmal
freundlich zuwinkend, die Straße zu seinem Hotel empor.

Unbeweglich starrte der Flüchtling ihm nach, und in dem Maße
wie der einzige, der seine Sprache verstand, sich entfernte, ver-
düsterte sich wieder sein schon erhellteres Gesicht. Mit zehrenden
Blicken folgte er dem Entschwindenden bis hinauf zu dem hoch-
gelegenen Hotel, ohne die andern Menschen zu beachten, die sein
seltsames Gehaben bestaunten und belachten. Als ihn dann einer
mitleidig anrührte und in den Gasthof wies, fielen seine schweren
Schultern gleichsam in sich zusammen, und gesenkten Hauptes trat
er in die Tür. Man öffnete ihm das Schankzimmer. Er drückte sich
an den Tisch, auf den die Magd zum Gruß ein Glas Branntwein
stellte, und blieb dort verhangenen Blicks den ganzen Vormittag
unbeweglich sitzen. Unablässig spähten vom Fenster die Dorfkinder
herein, lachten und schrien ihm etwas zu — er hob den Kopf nicht.
Eintretende betrachteten ihn neugierig, er blieb, den Blick auf den
Tisch gebannt, mit krummem Rücken sitzen, schamhaft und scheu.
Und als mittags zur Essenszeit ein Schwarm Leute den Raum mit
Lachen füllte, Hunderte Worte um ihn schwirrten, die er nicht verstand, und er, seiner Fremdheit entsetzlich gewahr, taub und stumm
inmitten einer allgemeinen Bewegtheit saß, zitterten ihm die Hände
so sehr, daß er kaum den Löffel aus der Suppe heben konnte. Plötzlich lief eine dicke Träne die Wange herunter und tropfte schwer auf
den Tisch. Scheu sah er sich um. Die andern hatten sie bemerkt und
schwiegen mit einemmal. Und er schämte sich: immer tiefer beugte
sich sein schwerer, struppiger Kopf gegen das schwarze Holz.

Bis gegen Abend blieb er so sitzen. Menschen gingen und kamen,
er fühlte sie nicht und sie nicht mehr ihn: ein Stück Schatten, saß er
im Schatten des Ofens, die Hände schwer auf den Tisch gestützt.
Alle vergaßen ihn, und keiner merkte darauf, daß er sich in der

Dämmerung plötzlich erhob und, dumpf wie ein Tier, den Weg zum Hotel hinaufschritt. Eine Stunde und zwei stand er dort vor der Tür, die Mütze devot in der Hand, ohne jemanden mit dem Blick anzurühren: endlich fiel diese seltsame Gestalt, die starr und schwarz wie ein Baumstrunk vor dem lichtfunkelnden Eingang des Hotels im Boden wurzelte, einem der Laufburschen auf, und er holte den Manager. Wieder stieg eine kleine Helligkeit in dem verdüsterten Gesicht auf, als seine Sprache ihn grüßte.

"Was willst du, Boris?" fragte der Manager gütig.

"Ihr wollt verzeihen", stammelte der Flüchtling, "ich wollte nur wissen ... ob ich nach Hause darf."

"Gewiß, Boris, du darfst nach Hause", lächelte der Gefragte.

"Morgen schon?"

Nun ward auch der andere ernst. Das Lächeln verflog auf seinem Gesicht, so flehentlich waren die Worte gesagt.

"Nein, Boris ... jetzt noch nicht. Bis der Krieg vorbei ist."

"Und wann? Wann ist der Krieg vorbei?"

"Das weiß Gott. Wir Menschen wissen es nicht."

"Und früher? Kann ich nicht früher gehen?"

"Nein, Boris."

"Ist es so weit?"

"Ja".

"Viele Tage noch?"

"Viele Tage."

"Ich werde doch gehen, Herr! Ich bin stark. Ich werde nicht müde."

"Aber du kannst nicht, Boris. Es ist noch eine Grenze dazwischen."

"Eine Grenze?" Er blickte stumpf. Das Wort war ihm fremd. Dann sagte er wieder mit seiner merkwürdigen Hartnäckigkeit:

"Ich werde hinüberschwimmen."

Der Manager lächelte beinahe. Aber es tat ihm doch weh, und er erläuterte sanft: "Nein, Boris, das geht nicht. Eine Grenze, das ist fremdes Land. Die Menschen lassen dich nicht durch."

"Aber ich tue ihnen doch nichts! Ich habe mein Gewehr weggeworfen. Warum sollen sie mich nicht zu meiner Frau lassen, wenn ich sie bitte um Christi willen?"

71

Dem Manager wurde immer ernster zumute. Bitterkeit stieg in ihm auf. "Nein", sagte er, "sie werden dich nicht hinüberlassen, Boris. Die Menschen hören jetzt nicht mehr auf Christi Wort."

"Aber was soll ich tun, Herr? Ich kann doch hier nicht bleiben! Die Menschen verstehen mich nicht, und ich verstehe sie nicht."

"Du wirst es schon lernen, Boris."

"Nein, Herr", tief bog der Russe den Kopf, "ich kann nichts lernen. Ich kann nur auf dem Feld arbeiten, sonst kann ich nichts. Was soll ich hier tun? Ich will nach Hause! Zeige mir den Weg!"

"Es gibt jetzt keinen Weg, Boris."

"Aber, Herr, sie können mir doch nicht verbieten, zu meiner Frau heimzukehren und zu meinen Kindern! Ich bin doch nicht mehr Soldat!"

"Sie können es, Boris."

"Und der Zar?" Er fragte es ganz plötzlich, zitternd vor Erwartung und Ehrfurcht.

"Es gibt keinen Zaren mehr,[1] Boris. Die Menschen haben ihn abgesetzt."

"Es gibt keinen Zaren mehr?" Dumpf starrte er den andern an. Ein letztes Licht erlosch in seinen Blicken, dann sagte er ganz müde: "Ich kann also nicht nach Hause?"

"Jetzt noch nicht. Du mußt warten, Boris."

"Lange?"

"Ich weiß nicht."

Immer düsterer wurde das Gesicht im Dunkel: "Ich habe schon so lange gewartet! Ich kann nicht mehr warten. Zeig mir den Weg! Ich will es versuchen!"

"Es gibt keinen Weg, Boris. An der Grenze nehmen sie dich fest. Bleib hier, wir werden dir Arbeit finden!"

"Die Menschen verstehen mich hier nicht, und ich verstehe sie nicht", wiederholte er hartnäckig. "Ich kann hier nicht leben! Hilf mir, Herr!"

[1] *"Es gibt keinen Zaren mehr"*: Nicholas II (1868–1918) was czar of Russia from 1896 until his abdication in March 1917. With his family, he was put to death on 16 July 1918.

"Ich kann nicht, Boris."

"Hilf mir um Christi willen, Herr! Hilf mir, ich ertrag es nicht mehr!"

"Ich kann nicht, Boris. Kein Mensch kann jetzt dem andern helfen."

Sie standen stumm einander gegenüber. Boris drehte die Mütze in den Händen. "Warum haben sie mich dann aus dem Haus geholt? Sie sagten, ich müsse Rußland verteidigen und den Zaren. Aber Rußland ist doch weit von hier, und du sagst, sie haben den Zaren … wie sagst du?"

"Abgesetzt."

"Abgesetzt." Verständnislos wiederholte er das Wort. "Was soll ich jetzt tun, Herr? Ich muß nach Hause! Meine Kinder schreien nach mir. Ich kann hier nicht leben! Hilf mir, Herr! Hilf mir!"

"Ich kann nicht, Boris."

"Und niemand kann mir helfen?"

"Jetzt niemand."

Der Russe beugte immer tiefer das Haupt, dann sagte er plötzlich dumpf: "Ich danke dir, Herr", und wandte sich um.

Ganz langsam ging er den Weg hinunter. Der Manager sah ihm lange nach und wunderte sich noch, daß er nicht dem Gasthof zuschritt, sondern die Stufen hinab zum See. Er seufzte tief auf und ging wieder an seine Arbeit im Hotel.

Ein Zufall wollte es, daß derselbe Fischer am nächsten Morgen den nackten Leichnam des Ertrunkenen auffand. Er hatte sorgsam die geschenkte Hose, Mütze und Jacke an das Ufer gelegt und war ins Wasser gegangen, wie er aus ihm gekommen. Ein Protokoll wurde über den Vorfall aufgenommen und, da man den Namen des Fremden nicht kannte, ein billiges Holzkreuz auf sein Grab gestellt, eines jener kleinen Kreuze über namenlosem Schicksal, mit denen jetzt Europa bedeckt ist von einem bis zum andern Ende.

FRIEDO LAMPE

FRIEDO LAMPE, born in Bremen in 1899, studied German literature and the history of art in Heidelberg, Munich and Freiburg. He
worked as a journalist in his home-town, was for some years a libra-
rian in Hamburg and subsequently a reader for various publishers.
His first narrative work was a short novel *Am Rande der Nacht* (1933),
which characteristically focuses an evening in a dock quarter with
a combination of acutely observed realism and Romantic sensibility.
Apart from this his principal work is the volume of stories *Von Tür
zu Tür* (1946). His collected writings have been published in one
volume, *Das Gesamtwerk* (ed. J. Pfeiffer, Hamburg, 1955). The story
Am Leuchtturm takes place on one of the islands off the North Sea
coast which have frequent summer visitors. The time is presumably
the earlier part of the century.

An individualist who dislikes routine in his life, Lampe seems to
have much in common with Walser. His reactions to the war are
reflected in a letter written from Berlin on 28 March 1945:

"Was ist das für eine Zeit! Ich versuche immer mehr, diese Zeit
und die furchtbaren Ereignisse als einen Läuterungsprozeß auf-
zufassen. Wir sollen von allem Abschied nehmen, an nichts Irdisches
mehr gebunden sein, sollen so ins Leben sehen, als wenn wir schon
gestorben wären. Wir sollen lernen, die Lebens- und Todesangst
zu überwinden. Hoffnung auf ein sinnvolles und glückliches Leben
ist wohl sehr gering. Ganz Deutschland ist ja ein Trümmerhaufen.
Der Anschluß an die Vergangenheit ist zerstört. Das ist alles nicht
wieder gutzumachen. Nein, in dieser Richtung dürfen wir nicht mehr
denken. Wir müssen in einer andern Richtung zu denken lernen,
aber das ist sehr schmerzlich und schwer, besonders für Sinnen-
menschen wie mich. Ganz am Ende winkt da eine Freiheit und
Heiterkeit, ein Losgelöstsein von allem Irdischen und eine Einsicht
in die Hinfälligkeit und Vergänglichkeit alles Irdischen, die frühere
Zeiten nur in seltenen ähnlichen Momenten erlebt haben."

On May 2, 1945, Friedo Lampe was shot, in consequence of a
misunderstanding, by Russian occupation forces in the vicinity
of Berlin.

AM LEUCHTTURM

LILI sagte: "Ich kann nicht mehr." Aber die Mutter meinte: "Iß man auf." Die Satte dicke Milch war auch wirklich zu groß, eine tiefe braune Tonschüssel. "Während du nach oben gehst, werde ich Papa schreiben", sagte die Mutter und holte einen Briefblock und einen Füllfederhalter aus ihrer großen Leinentasche. Lili hatte die Schüssel leergegessen und schob sie beiseite und faltete die Hände: "Ob ich nicht doch noch etwas warte?"[1] — "Nein, geh man rauf, nun kommt er nicht mehr. Männer haben auch ihre Pflichten, mein Kind. Aber das ist nur gut, daß er fleißig ist — wer noch im Urlaub arbeitet, der bringt es auch zu was."[2] — "Jeden Tag kriegt er so große dicke gelbe Kuverts: *An Herrn Ingenieur Doktor Fritz Wendland*",[3] sagte Lili, "wie das klingt, und dabei ist er doch ein richtiger kleiner Junge … ein frecher Junge … weißt du, manchmal könnt' ich richtig wütend werden; beim Baden, da schwimmt er dann so hinterlistig unter Wasser und packt mich plötzlich an den Beinen und zieht mich nach unten, unverschämt, und dann spritzt er, kann ich dir sagen, aber dann ist er auch wieder nett, dann schwimmt er und trägt mich auf seinem Arm, und ich brauche gar nichts zu tun, solche Kraft hat er, und ich liege ganz ruhig, laß mich treiben …" Lili sah verträumt über die grünen Tische und Stühle. Laß mich treiben, laß mich treiben, o wie schön das hinging über das ruhig wogende Wasser. Still war es jetzt hier. Sie waren die einzigen Gäste. Die Sonne schien warm und milde, rot glühten die Backsteine des Leuchtturms, ein paar Hühner liefen pickend und ruckend zwischen den Tischen herum, und der Kellner stand in der Tür des Leuchtturmhauses an den Pfosten angelehnt, die Serviette unterm Arm, und wartete auf neue Gäste. "Morgen ist Reunion", sagte Lili, "ob ich mein grünes Seidenkleid anziehe oder das weiße Spitzenkleid, und dann steck' ich mir hier vorne die rote

---

[1] *"Ob ich nicht doch noch etwas warte?"*: "Do you think I ought to wait a bit after all?"

[2] *"der bringt es auch zu was."*: "He'll get on."

[3] *An Herrn Ingenieur Doktor*: the formal title of address on a letter, including here the academic qualification in engineering.

Rose an?" — "Ja, das Spitzenkleid mit der roten Rose", sagte die Mutter, "da siehst du so entzückend drin aus."

Um die Düne herum auf den Platz vorm Leuchtturm kam ein großer Kremser[1] gefahren, vier kleine Kinder sprangen herunter, zwei Mädchen und zwei Jungens, und dann stiegen die Eltern langsam aus. Justizrat Bäcker aus Gießen mit Familie. Justizrat Bäcker hatte einen gelben Leinenanzug an, den Schillerkragen flott zurückgeschlagen, den Zwicker auf der Nase und die Haare borstig und kurz nach oben gekämmt.

"So, nun will ich aber raufsteigen", sagte Lili. Sie ging durch die Tische zum Leuchtturm-Eingang. Drinnen im Turm war es schattig und kühl. Und sie lief die Stufen hinauf, immer im Kreis, es roch etwas faulig nach altem Gewölbe und Moder, immer rundum, man konnte ganz schwindlig werden, sie mußte sich am Geländer festhalten, morgen Reunion, das Spitzenkleid mit der roten Rose, und wir tanzen zusammen, sein Arm um meine Taille, fester, fester, ja, da lag ich auf seinem Arm, ließ mich tragen, ließ mich treiben, und wie das dunkelgrüne Wasser so hinwogte... Ein kleines Fenster, tief in der dicken Mauer, o schon ziemlich hoch, aber höher, höher, klapp, klapp, klapp, immer rundum — und wir tanzen zusammen, und der Saal dreht sich.

Justizrat Bäcker rief: "Nun hört mal alle zu, Edith, Marga, nicht weglaufen. Wir wollen mal eben einen Schlachtplan entwerfen. Also ich bin dafür, daß wir zuerst einmal auf den Leuchtturm steigen. Wer will mit? Was, Kurt und Edgar, ihr wollt nicht mit? Euch reizt es nicht, einen Leuchtturm zu besteigen, ihr seid schon so oft oben gewesen? Da seht mir diese Übersättigten, diese Blasierten, na schön, also ihr wollt lieber Kaninchen fangen, viel Glück, viel Glück, da haben wir wohl heute abend einen Kaninchenbraten zu erwarten? Was? Ihr wollt das Kaninchen mit nach Gießen nehmen? Mama, geht das denn, ein Kaninchen bei uns zu Haus? Wie? In einer Kiste im Garten? Meinetwegen. So werde ich denn mit Marga und Edith allein den Turm besteigen. Nein, Mama, du kannst nicht mit, denk an dein Asthma, Mamachen, du bleibst hier unten, setz dich an

---

[1] *Kremser*: a type of pleasure-van, or char-à-banc, so called after Simon **Kremser**, who introduced it in Berlin in 1825.

diesen Tisch. Herr Ober, bringen Sie der Dame bitte — ja, was möch-
test du — ja, eine Tasse Schokolade und ein Stück Topfkuchen, und
Sie, Herr Heuer" — Herr Heuer, das war der Kutscher — "Sie genehmigen sich bitte Bier oder Köhm oder was Sie wollen. Also
Kinder, kommt."

Die Stube des Leuchtturmwärters. Wie gemütlich: ein großer
Ohrenstuhl, ein Tisch, ein Bettverschlag, der mit einem rotgeblümten
Vorhang verhängt war, auf dem Tisch ein großes Buch mit einge-
tragenen Zahlen und eine Brille, und durch das Fenster ein breiter
Balken goldenen Nachmittagslichts in die schattige kühle Stille, an
der Wand leuchtete die Photographie eines jungen lachenden Ma-
trosen auf ... Leise summte der Wind um den Turm. Lili stand einen
Augenblick still: Gott, hier zu leben, so einsam, so hoch oben, und
nachts, wenn dann der Sturm heult und das Meer brandet gegen die
Dünen und die Dampfer tuten in Not ... brr ... Da sah sie die eiserne
Wendeltreppe, die weiter nach oben führte, und sie stieg schnell die
Stufen hinauf.

Und die Mutter saß unten und schrieb an den Vater: "Lili hat eine
nette Bekanntschaft gemacht, einen Dr. Fritz Wendland, auch aus
Bremen, er ist Ingenieur an der Weser-Werft, ein Neffe von dem
früheren Direktor Wendland von der Weser-Werft, den Du doch
auch gekannt hast. Mit seiner Mutter, die leider nicht mehr lebt,
bin ich zur Schule gegangen. Lili hat ihn auf der Reunion kennen-
gelernt, ein reizender Mensch, so lustig und vergnügt, und scheinbar
sehr verschossen in Lili, aber sie mag ihn auch gerne. Die beiden sind
viel zusammen, er sitzt immer in unserer Burg, hat mit Lili zusammen
die Wälle so hoch und dick aufgeschaufelt, daß ich in meinem Strand-
korb kaum noch drüber wegsehen kann. Sie haben beide aus Sand
einen großen Neptun modelliert, direkt künstlerisch, der liegt nun
vor unserer Burg und wird sehr bewundert. Du, lieber Willi, ich
glaube, diesmal ist es etwas Ernsteres, wir können uns so ein wenig
auf eine Verlobung gefaßt machen. Ach, ich gönnte es ja so unserem
Kinde. Da, Lili ist auf dem Turm angelangt und winkt runter ..."

"Mutti, Mutti", rief Lili und winkte wie wild mit dem Taschentuch. Ach, war das hier oben herrlich, schade, daß Fritz nicht bei ihr

war und sie zusammen alles genießen konnten. Wie winzig da unten das Leuchtturmhaus und die grünen Tische und Stühle, und Mutti so ganz klein und niedlich. Über die ganze Insel konnte man wegsehen. Lili stand am Geländer und atmete tief, und ein lauer Wind wehte hier oben und strich ihr durchs Haar. Der Leuchtturm stand am Ende der Insel, einsam zwischen den Dünen, und Lili sah das Gewelle der Dünen, Wiesen mit braunem Vieh und gelbe Sandmulden und helles Dünengras und ganz dahinten die Dächer von dem Ort und die Hafenmole und die bunten Fahnen und Wimpel vom Strand und auf der einen Seite das offene Meer, dunkelblau sich wölbend, und am Horizont ein paar große Dampfer scharf vor dem klaren Nachmittagshimmel mit ziehendem Rauch, und auf der anderen Seite das helle durchsichtige Wattenmeer, und klar die Küste, wie in der Luft schwebend, aber in allen Einzelheiten zu erkennen, ein grüner Streif, und runde Bäume und Bauernhäuser und Mühlen, Mühlen, Mühlen ... Ein paar grüne Kutter mit braunem Segel, goldig von der Sonne angeschienen, schwammen im Wattenmeer, und die mennigroten Bojen, schief in der Strömung stehend, leuchteten sanft.

Der Leuchtturmwärter hatte lange mit dem Fernglas aufs Meer geschaut, auf einen Dampfer, der da hinten am Horizont hinfuhr — nun trat er zu Lili: "Fräulein, Sie haben wohl noch nicht bezahlt." Lili schrak zusammen. Aber dann sah sie in das freundliche, gutmütige Seebärengesicht, rotbraun verwittert und verknittert, mit grauem flockigem Backenbart und scharfen blauen Augen und vielen kleinen lustigen Fältchen in den Ecken. Ja, zwanzig Pfennig kostete das Vergnügen, und hier hatte sie ihr Billet, ja, da hatte sie heute Glück, ein schöner klarer Tag, so weit sah man nicht häufig. "Tja, ich stand gerade da und guckte nach dem Schiff da hin, sehen Sie, da, den zweiten Dampfer von rechts — ja, der da — wissen Sie, wer darauf fährt? Mein Junge. Hätt' ihn ja so gern hier zu Hause behalten, hätt' ihn so gut brauchen können. Ach, mit dem Leuchtturm, das macht einem doch allmählich etwas Mühe. Aber er wollte partout auf die *Pallas* zurück, nee, da war kein Halten, auch die Alma hat das nicht fertiggekriegt. Tja, was so'n richtiger Seemann ist ..."

Und die Mutter schrieb: "Wir haben übrigens seit ein paar Tagen eine sehr nette Burgnachbarin, eine Frau Martens aus Hannover, noch sehr jugendlich und schon Witwe, ihr Mann ist vor zwei Jahren gestorben. Lili hat sich sehr mit ihr angefreundet, sie sagt, von Frau Martens kann man etwas lernen, die kennt das Leben. Sie kommt oft zu uns rüber. Es ist zu reizend, wenn dann die jungen Leute, Lili und Doktor Wendland und Frau Martens in unserer Burg sitzen und so allerlei Unsinn treiben — ich bedauere nur, daß Du nicht dabei sein kannst." Als die Mutter von ihrem Brief aufblickte, sah sie einen Herrn und eine Dame, die sich an einen Tisch setzten. Kammersänger Otto Laube, das war er. Wer mochte die Dame sein, ob es seine Frau war? Im Kurhaussaal hatte er ein Konzert gegeben, aber die Mutter und Lili hatten keine Karten mehr bekommen, solch ein Andrang war gewesen. Frau Martens hatte ihn gehört, sie war ganz begeistert, wie verrückt hatten die Frauen geklatscht, Zugabe auf Zugabe und Blumen über Blumen. Eine stattliche Erscheinung, vielleicht etwas dick im Gesicht, etwas aufgeschwemmt, das hatten Sänger ja so leicht, ob das wohl vom Singen kam?

Kammersänger Otto Laube sagte: "Und dann ging's nach Chikago. Central-Theater, drei Wochen lang: *Bajazzo, Tiefland, Siegfried, Tosca.*[1] Ein sehr dankbares Publikum. Ich mußte deutsch singen. Großer Erfolg, obgleich mich doch niemand verstand. Merkwürdig. Wie ist so was möglich?" Fräulein Binder sagte: "Was braucht man da verstehen, wenn man Ihre Stimme hört. Oh, das kann ich mir schon vorstellen." Sie sprach leise, und ihre Stimme zitterte etwas. Nun saß sie hier am Leuchtturm mit dem großen Mann an einem Tisch. Was werden Alice und Elli sagen? Wie werden sie sich ärgern, daß sie nicht mitgegangen sind. Wenn sie erst mit ihm zusammen auf der Strandpromenade ging. Ob er das tun wird? Oder er kommt im Kurgarten auf mich zu während des Konzertes, begrüßt mich, setzt sich an meinen Tisch. Ob ich mein Gesicht doch etwas pudere, ein ganz klein wenig Rot auflege? Und wie von selbst ist alles gekommen,

[1] *Bajazzo, Tiefland, Siegfried, Tosca: Siegfried* (1876) is the third opera of Wagner's tetralogy *Der Ring der Nibelungen, Tosca* (1900) is by Puccini, *Tiefland* (1903) by Eugen d'Albert. *Der Bajazzo* is the title by which Leoncavallo's *Pagliacci* is known in Germany.

wie im Traum. Nur durch die glitschige, schwabbelige Riesenqualle, die da am Strande lag. Sonst wären wir doch nie ins Gespräch ge- kommen.

"Wissen Sie, was mir am besten in Chikago gefallen hat? Ein kleines deutsches Restaurant. Da kriegte man richtiges Münchener Bier und Eisbein mit Sauerkraut, ich sage Ihnen, so eine Portion. Apropos Essen, was genießen wir? Hier soll es schöne dicke Milch geben." Nein, Fräulein Binder wollte keine dicke Milch, jetzt nicht. "Herr Ober, also für die Dame Eis, gemischt, und mir eine dicke Milch mit Zucker und Schwarzbrot."

Albert, der Kellner, ging ins Haus und rief in die Küche: "Eine Portion Eis, gemischt, und eine dicke Milch." — "Albert", sagte die Leuchtturmwärtersfrau, "kommen Sie doch noch mal eben rein. Albert, ginge es denn nicht, daß Sie wenigstens noch acht Tage blei- ben, bis dahin habe ich vielleicht Ersatz für Sie. Ich kann doch jetzt nicht alles alleine mit Alma machen, jetzt in der Hochsaison." — "Hochsaison", lachte Albert höhnisch, "davon merkt man auch gerade was.[1] Nein, deshalb geh' ich ja weg, weil hier nichts zu tun ist. Glauben Sie, ich kann die kurze Sommerzeit so ungenutzt verstrei- chen lassen? Jeder Tag ist da kostbar. Hab' schon viel zuviel Zeit verloren. Nein, morgen fang' ich im *Kaiserhof* an, das ist nun mal abgemacht." — "Es ist scheußlich, einen so im Stich zu lassen", sagte die Leuchtturmwärtersfrau weinerlich und rührte in einem Topf am Herd. "Im Stich lassen", rief Albert und schwenkte mit der Serviette, er stand mitten in der Küche, und sein schwarzgewelltes pomadi- siertes Haar glänzte im Nachmittagssonnenschein, "wer ist hier der Angemeierte, ich oder Sie? Haben Sie mir etwa geschrieben, daß der Leuchtturm am Ende der Welt liegt, haben Sie mir nicht versprochen, daß hier ein Hochbetrieb ist? Ich denke, der Leuchtturm steht mitten im Ort und ist das Zentrum des Verkehrs." — "Alma, kannst du ihm denn nicht zureden", sagte die Leuchtturmwärtersfrau, "auf dich hört er doch noch am meisten." — "Lassen Sie ihn doch, wenn er fort will", sagte Alma, "wir wollen schon fertig werden." Sie hatte Eis

[1] *"davon merkt man auch gerade was"*: "You can see something of it too" — spoken sarcastically.

auf den Teller gelegt und ging nun in die dämmrige Speisekammer, um die Satte dicke Milch für den Kammersänger zu holen. Katzenhaft weich war ihr Albert gefolgt und flüsterte ihr plötzlich im Rükken, dicht am Nacken: "Na, soll ich doch bleiben? Wenn Sie etwas nett zu mir sind, bleibe ich. Nun seien Sie doch endlich vernünftig." — "Finger weg", zischte Alma, "scheren Sie sich zum Teufel", sie nahm die Satte dicke Milch vom Bord und ging schnell in die Küche zurück. "Dann wart man auf deinen John", rief er ihr nach, "da kannste warten, bis du schwarz wirst."[1]

"Mir ist ganz schwindlig", sagte die kleine Edith und schloß die Augen und hielt sich mit beiden Händen am Geländer fest. "Ach was, Mädel", sagt Justizrat Bäcker. "Nun genießt doch mal die herrliche Aussicht. Ist das nicht wunderbar, so auf einem Turm zu stehen? Guck doch mal, Edith, da kannst du ja Kurt und Edgar sehen, mach doch mal die Augen auf — ob sie wohl schon ein Kaninchen gefangen haben? Sieh mal Marga an, Marga ist viel mutiger." "Edgar, Kurt, hu — hu", schrie Marga und beugte sich weit über das Geländer und winkte. Aber die beiden Jungens da unten hörten sie nicht, sie knieten vor dem Kaninchenbau und waren wohl zu sehr in ihre Sache vertieft. Plötzlich tuschelte Marga ihrem Vater etwas ins Ohr. "Wollen mal sehen",[2] sagte der und wandte sich an den Leuchtturmwärter: "Könnten Sie uns wohl für einen Augenblick Ihr Fernglas leihen?" Und dann sah Marga durchs Fernglas: ob man wohl ihre Burg sehen konnte? Nein, da waren die Dünen davor, nur die Flaggenmasten vom Strand ragten über die Dünen hinaus. Lili stand dicht neben Marga. Sie kriegte auch Lust, mal durchs Fernglas zu sehen. Sie hatte nun die Aussicht von allen Seiten genossen und stand ruhig da und träumte so über das Dünengewoge hin. Immer milder wurde der Schein der Nachmittagssonne, immer blauer und klarer der hohe Himmel, immer sanfter und stiller der Wind, die Sonne neigte sich immer müder zum Meere hin, und ihr gegenüber stand der Mond bereits als zarte leichte Wolke am Himmel, klar und scharf bis in die

---

[1] "*da kannste (kannst du) warten, bis du schwarz wirst*": "You can go on waiting till the cows come home."

[2] "*Wollen mal sehen*": "We'll see!", "We'll have to see!"

kleinsten Winkel lag die Welt gebreitet, und die Nachbarinseln hoben sich goldenhell aus dem Meer, ruhig standen die braunen Mühlenflügel an der Küste, da glitt Lilis Blick in eine ferne Dünenmulde, nah beim Strande — sie zuckte zusammen — sein Panamahut, seine großkarierte Jacke — das war doch nicht möglich — ja, diesen weißen Schal trug sie um den Kopf gewickelt — "darf ich wohl mal das Fernglas haben?", sie riß es Marga geradezu aus der Hand. "Kind, du hast ja nun genug geguckt", sagte der Justizrat, und vor Lilis Augen stand ein klares, rundes, scharfes Bild und schnitt wie Glas in ihre Seele: Fritz und Frau Martens, beide im gelben Sande liegend, sie wohlig ausgestreckt, die Arme hinter den Kopf gelegt, er den Panama zurückgeschoben, halb aufgerichtet auf sie herabsehend, lange, unbeweglich, und dann beugte er sich vor, beugte sich über sie... Lilis Hand zitterte und das Bild tanzte, sie ließ das Glas sinken, aber dann mußte sie es doch noch mal heben, o so schwer war das, und es wackelte vor ihren Augen, aber sie mußte doch noch mal gucken. Und indessen erklärte der Leuchtturmwärter dem Justizrat und den beiden Mädchen die Leuchtturmlampe. "Sehen Sie, die Lampe ist man so lüttje, aber das Licht wird verstärkt durch die Scheinwerferlinsen. Früher hatten wir ja man bloß Petroleumglühlicht, jetzt wird die Lampe elektrisch erleuchtet." — "Kinder, ist das nicht ein Wunder", sagte der Justizrat, "die kleine Lampe, und leuchtet so weit über das Meer." Die beiden Mädchen starrten wie gebannt auf die vielen bläulich funkelnden Glasprismen, auf die große birnenförmige Glasglocke, und der Leuchtturmwärter sagte: "Kann Ihnen sagen, is 'ne aasige Arbeit, wenn man all die Linsen immer blitzblank haben will", und er nahm ein Ledertuch und wischte schnell mal über die Glocke hin. Und die Mutter unten am Tisch schrieb: "Wenn Lili sich verheiraten sollte, und, lieber Willi, wir müssen ja nun damit rechnen, dann könnten wir ihr doch für den Anfang der Ehe die zweite oder erste Etage abtreten, was sollen wir dann allein mit dem großen Haus, und wenn dann Kinder kommen sollten, dann gibt's wieder neues Leben bei uns." Da kam ein leiser Wind, so ein sanfter Hauch, und wehte ein vollgeschriebenes Briefblatt von dem Tisch der Mutter gerade vor die Füße von Frau

Justizrat Bäcker, und die Damen kamen ins Gespräch: "Nein, ich kann auch nicht mehr auf den Turm steigen, Asthma, wissen Sie; ja, die Seeluft ist sehr gut dafür, hier kann ich doch wenigstens ordentlich durchatmen." Und am Nebentisch sagte Kammersänger Otto Laube: "Morgens um fünf segeln wir los, bei Ebbe, mit Heino Freerksens Kutter, ganz still und glatt ist das Meer, und der Nebel liegt noch auf dem Wasser, aber dann kommt die Sonne, und plötzlich sehen wir auf den Sandbänken die Seehunde liegen, eine ganze Familie, sie schlafen noch, werden so richtig überrumpelt, und dann geht's piff-paff." — "Und sie haben so schöne, sanfte Augen", sagte Fräulein Binder. "Wer?" fragte der Kammersänger. "Die Seehunde", sagte Fräulein Binder und lief rot an,[1] "wie Menschen können sie gucken. Und auf die mögen Sie schießen?" — "Das Leben ist Kampf,[2] mein Fräulein. Damit muß man sich abfinden. Aber nun wollen wir mal auf den Leuchtturm steigen, wird ja schon ganz abendlich."[3] Albert, der Kellner, kam in die Küche und stellte Geschirr aufs Abwaschbrett, ganz dicht neben Alma stand er und summte ihr zu:

> Ich sag' dir ganz offen,
> Treu bin ich nicht,
> Es lügt ja der Seemann,
> Wenn er Treu' verspricht.

"Clown", murmelte Anna finster.

Durch die Dünen ging ein junger Mann auf den Leuchtturmhügel zu. Es war Fritz Freese, Redakteur der *Inselzeitung*. Jede Woche brachte er ein kleines Stimmungsbild von irgendeinem Platz der Insel, diesmal hatte er sich vorgenommen, einen *Abend am Leuchtturm* zu schreiben. Ach, er war sehr unzufrieden mit sich selber. Schon

---

[1] *und lief rot an*: Fräulein Binder is embarrassed because Otto Laube may have imagined that she was referring not to the seals', but to his eyes; she said *sie*, but he understood *Sie*.

[2] *"Das Leben ist Kampf"*: The phrase "struggle for existence" was introduced by A. R. Wallace, whose researches on natural selection were first published in 1858, in part as collaboration with the work of Charles Darwin. Darwin's *The Origin of Species* appeared in 1859.

[3] *"(es) wird ja schon ganz abendlich"*: "After all, evening is already almost upon us."

vierundzwanzig Jahre und noch immer nicht weiter. An eine große Zeitung drängte es ihn, aufregende Berichte wollte er schreiben. Und da lief er nun in den Dünen herum und schrieb einen *Abend am Leuchtturm*. Was passierte hier schon? Ein unergiebiges Thema. Und nicht mal zuerfinden konnte man etwas, so einen kleinen Mord oder ähnliches — dann kamen einem gleich die Leute auf den Hals.[1] Nichts als Stimmung, Stimmung, Stimmung — wie hatte er das satt. "Als mächtiges Wahrzeichen der Insel ragte der rote Leuchtturm über die Dünen." Phrasen. Aber was sollte man erzählen? Vielleicht fingiere ich ein Gespräch mit dem Leuchtturmwärter und erzähle von der Rettung eines Schiffes durch das Leuchtturmlicht. Das ginge. Vor seinen Füßen krabbelten zwei Jungens vor einem Kaninchenloch. "Was macht ihr hier denn?" — "Wir wollen ein Kaninchen fangen. Aber es will nicht kommen." — "Wie wollt ihr das denn fangen?" — "Ganz einfach. Auf der anderen Seite der Düne ist doch noch ein Eingang, da haben wir ein Feuer gemacht, nun zieht der Rauch durch die Gänge, und das Kaninchen wird ausgeräuchert und muß hier raus, und dann greifen wir es." — "Ja, Jungens, aber wenn der Bau nun mehrere Ausgänge hat?" — "Meinen Sie?" Edgar und Kurt sahen Fritz Freese ganz entsetzt an. Und da hörten sie auch schon den Vater rufen. Justizrat Bäcker stand oben auf der Düne und winkte: "Schnell herkommen,[2] wir fahren nach Haus." Und da mußten sie zurück und hatten kein Kaninchen gefangen.

"Da bist du ja endlich, Lili", sagte die Mutter. "Du siehst aber etwas blaß aus. Ob dir das Treppensteigen doch zu viel geworden ist? Sie winken schon, ja, ja, wir kommen. Du, wir können mit dem großen Wagen mitfahren. Ich habe eben mit der Dame gesprochen, eine Frau Justizrat aus Gießen, eine reizende Dame. Sie haben noch Platz für uns. Denke dir, sie leidet unter Asthma. Weißt du, wen ich eben hier gesehen habe? Kammersänger Otto Laube. Hier ist der Brief an Vater. Ich konnte es nicht lassen, so einige Dinge anzudeuten…

---

[1] *dann kamen einem gleich die Leute auf den Hals*: "Then people were on to you in no time."

[2] *"Schnell herkommen"*: "Come along quickly!" The infinitive is used here with an imperative meaning.

Der wird Augen machen. Steck ihn doch noch eben in den Kasten, da ist ja einer am Haus. Ich geh' schon zum Wagen." Lili nahm den Brief und ging zum Kasten, der neben der Tür des Leuchtturmhauses hing. Sie blickte auf den Brief und drehte ihn in der Hand, dann zerriß sie ihn und warf die Fetzen in einen Papierkorb.

"Albert", sagte die Leuchtturmwärtersfrau in der Küche, "bringen Sie doch bitte gleich meinem Mann das Abendessen rauf." — "Nein", sagte Albert, "das tu' ich nun nicht mehr. Das ist vorbei. Sehen Sie, das war auch so ein Punkt: ich war hier doch als Kellner angestellt und nicht als Laufjunge. Eine Zumutung, zweimal täglich auf den Leuchtturm zu steigen, um Ihrem Mann das Essen zu bringen." — "Wie sind Sie frech", jammerte die Leuchtturmwärtersfrau. "Ich bring's ja schon rauf", sagte Alma, "reden Sie doch gar nicht mehr mit dem Kerl. Gehen Sie doch weg, Albert, so schnell wie möglich, wir wollen Sie hier gar nicht mehr sehen." — "Tu' ich auch", sagte Albert, "jetzt ist Feierabend", und er warf die Serviette auf den Tisch. Dann stieg er die Treppe rauf, ging in sein kleines Zimmer, alles leer, nahm den dicken, braunen Koffer und eilte nach draußen, der Wagen wollte gerade abfahren, Familie Bäcker, Lili mit ihrer Mutter, alle saßen schon drin, und er bat Herrn Heuer, den Kutscher: "Können Sie den Koffer für mich mitnehmen zum *Kaiserhof?*" Natürlich konnte Herr Heuer das. "Stellen Sie ihn man hier vorne hin. So, los, hü, hü." Die Pferde zogen schwer an, und die Räder knirschten im Dünensande.

Kammersänger Otto Laube stand oben auf dem Leuchtturm, und er sang mit weitausholenden Armbewegungen in die Abendstille hinein, hoch über Dünen und Meer hinweg: *Goldne Abendsonne, wie bist du so schön.* "Der hat'n Kleinen sitzen",[1] dachte der Leuchtturmwärter, "aber 'ne schöne Stimme hat er, verflixt noch mal." Und Fräulein Binder stand neben dem Kammersänger, rot vom Abendlicht übergossen, und ihre Augen glänzten, und es lief ihr süß-schaurig den Rücken hinunter.[2] "Er ist doch kein Materialist", dachte sie, "er liebt die Natur. Was für ein Augenblick, mit ihm auf einem Turm im

---

[1] *"Der hat'n Kleinen sitzen":* "He's got a screw loose", "He's round the bend".
[2] *es lief ihr süß-schaurig den Rücken hinunter:* "a sweet terror shuddered down her back".

Anblick des Meeres, der untergehenden Sonne. O jetzt müßte ein Orchester losspielen, eine Symphonie: Beethoven." Aber da trat ein junger Mann zu ihnen, ganz bescheiden, und der Kammersänger hörte auf zu singen, und der junge Mann sagte: "Verzeihen Sie, Meister, wenn ich Sie störe, bitte singen Sie weiter. O das täte mir leid, wenn ich Sie unterbrochen hätte. Ich bin glücklich, diese Szene belauscht zu haben. Mein Name ist Freese, Redakteur der *Inselzeitung*. Ich habe die Absicht, einen kleinen Artikel zu schreiben, ein kleines Stimmungsbild *Abend am Leuchtturm*. Dürfte ich da wohl diese Szene mit hineinbringen? Der Meister singend auf dem Leuchtturm, das würde Wirkung machen, etwas für die Damen sein. Ja, ich würde diese Szene in den Mittelpunkt stellen." — "Nirgends hat man Ruhe, noch in die Wüste folgen sie einem nach", seufzte der Kammersänger wohlgefällig und blickte Fräulein Binder triumphierend an, "aber wissen Sie, dieses dumme Lied, das lassen Sie mich nicht singen. Schreiben Sie, ich hätte gesungen — na, was? — *O du mein holder Abendstern* oder *Freude, schöner Götterfunken*[1] — etwas Seriöses, nicht die *Abendsonne*." — "Verstehe", sagte Fritz Freese und machte sich Notizen in ein kleines Buch. "Ich habe mir auch erlaubt, Sie zu knipsen, wie Sie da so singend standen, darf ich das Bild mit in die Zeitung bringen?" — "Tun Sie, was Sie nicht lassen können", sagte der Kammersänger. Und Fräulein Binder flüsterte dem Redakteur zu: "Bin ich auch mit auf dem Bilde?" Da trat der Leuchtturmwärter zu ihnen: "Nun muß ich Sie bitten, den Turm zu verlassen. Geht ja bald das Licht an." Und dann ging der Leuchtturmwärter zur Lampe und sah nach, ob alles in Ordnung war, und dann stand er wieder da, das Glas vor den Augen und schaute auf den fernen Dampfer, die *Pallas*, die am Horizont des Meeres in den glühenden Sonnenuntergang hineinfuhr. Auf einmal stand Alma neben ihm. "Ich habe Ihnen das Essen raufgebracht." — "Da fährt er hin", sagte der Leuchtturmwärter, "da ist die *Pallas*", und gab ihr das Glas. Lange blickte Alma unbeweglich auf den Dampfer im Abendrot.

---

[1] *du mein holder Abendstern*: aria from Wagner's *Tannhäuser*. *Freude, schöner Götterfunken*: the opening phrase of Schiller's *An die Freude*, incorporated by Beethoven into the last movement of his ninth symphony.

Ich sag' dir ganz offen,
Treu bin ich nicht,
Es lügt ja der Seemann,
Wenn er Treu' verspricht. —

"Warum ist er nur weggegangen?" sagte sie.

"Ach, Deern", sagte der Leuchtturmwärter, "ich war genau so. Aber eines Tages hat er die Nase voll, dann bleibt er zu Haus und wird ein guter Leuchtturmwärter. Mußt Geduld haben, mußt 'n bißchen warten können." — "Ja, ich will warten, wenn's nur nicht zu lange dauert." Die Sonne sank hinter das Meer, und das Meer wurde blauschwarz und stumpf, und die Dünen wurden blaß und grau, nur am Himmel lag noch ein roter Schein, und die Sichel des Mondes trat mit stärkerem Glanze hervor. Die Welt war ruhig und klar und still, ein kühler Wind begann zu wehen, und die Seeschwalben, die im Turm nisteten, flogen durch die dämmrige Abendluft. Alma stand da und blickte vom Turm auf die Insel. Nun waren sie wieder allein. Sie sah unten am Wattenstrand die letzten Gäste nach Hause gehen: den Kammersänger mit Fräulein Binder und dem Redakteur. Ganz dahinten fuhr der große Wagen dahin, der Alberts Gepäck mit forttrug, unten im Leuchtturmhaus ging in der Küche das Licht an, Albert räumte draußen die Tische ab und klappte die Stühle zusammen, das war Alberts letzte Arbeit, dann ging er ins Haus, und nach kurzem kam er wieder mit Hut und hellem Paletot. Er ging durch die Dünen zum Wattenstrand, er ging zum Ort, zum *Kaiserhof*, er wurde kleiner und kleiner. "Es ist auch zu verrückt", rief Alma, "Albert läßt uns sitzen, wir wissen nicht vor Arbeit wohin, und John hätte uns so gut helfen können, aber da gondelt er nun auf der See herum." — "Alma", sagte der Leuchtturmwärter, "warum hast du dein Herz auch an so einen spleenigen Kerl gehängt."

Der Wagen fuhr am Wattenstrand dahin. Oft fuhren sie durch überschwemmte Stellen, dann platschte es um die Hufe der Pferde. Die Mondsichel stand über ihnen, ein Kaninchen, das im Grase geschlafen hatte, sprang aufgescheucht in die Dünen. "Da ist ja euer Kaninchen", sagte der Justizrat. "Na, Jungens, nun laßt doch nicht so die Köpfe hängen. Wenn wir in Gießen sind, kaufen wir uns ein Kaninchen." Davon wollten Edgar und Kurt aber nichts wissen. Das war doch nicht dasselbe wie ein Dünen-Kaninchen. "Und überhaupt, Kaninchen muß man selber gefangen haben", sagte Edgar. "Na, Kurt, dann spiel noch mal ein bißchen auf deiner Mundharmonika, und wir singen dazu. Was wollen wir singen?" — *"Und der Hans schleicht umher"*, sagte Edith, "das ist so schön traurig." — "Also los", und sie sangen *Und der Hans schleicht umher*, und Kurt zirpte auf seiner Mundharmonika dazu silberhell wie eine Zikade.

Lili dachte: "Was soll ich nun noch auf der Reunion? Wie soll das nun alles weitergehen? Den Neptun, den zertret' ich mit meinen Füßen", und sie sagte zur Mutter: "Wollen wir nicht doch Montag nach Hause reisen?" — "Was", sagte die Mutter, "wir haben uns doch gerade entschlossen, noch vierzehn Tage länger zu bleiben. Was würde Doktor Wendland denn sagen?" — "Och der", sagte Lili. "Ich verstehe dich nicht mehr", sagte die Mutter.

"Trübe Augen, blasse Wangen,
Und das Herz ihm befangen
Und der Kopf ihm so schwer",

sangen die hellen Kinderstimmen zum klaren kalten Monde auf.

"Tränen?" fragte die Mutter, und dann sagte sie leise zu Frau Justizrat Bäcker: "Das Kind macht mir Sorge, sie ist zu nervös." — "Schluß mit dem Klagegesang", rief da Justizrat Bäcker, "wir wollen mal was anderes singen, wir singen jetzt: *Was kommt dort von der Höh.*" Und während sie sangen, ging das Licht auf dem Leuchtturm an, und der breite weiße Strahl begann ruhig über die dämmrige Insel zu wandern und zu kreisen. Und draußen auf dem Meer, weit draußen, da fuhr die *Pallas*, der Frachtdampfer, er fuhr nach Südamerika, und vorne am Bug, an der Reling, da stand ein Matrose, das war John, der Sohn des Leuchtturmwärters, die Wellen schäumten und rauschten am Bug, der Wind wehte hart und kühl hier draußen und griff ihm in die Bluse, der Rauch quoll dick und schwarz aus dem Schornstein unter dem Abendhimmel, dunkel war das Meer und dunstig die ferne Insel, aber da kam das Licht von dem alten Leuchtturm und strahlte und winkte. Nun hatte der Vater die Lampe angemacht und saß wohl gerade da und aß sein Abendbrot. Ob Alma wohl noch einmal nach ihm ausgeschaut hatte vom Turm? Wie war sie böse gewesen, aber sie wird sich damit abfinden, wie gut, daß er weggegangen war — nein, ihr fangt mich nicht ein, noch nicht, nun rauschte es wieder und wehte und strömte, das Leben, und wurde weit. Lange, lange stand er und schaute nach dem Licht, dem wandernden Licht, dann wurde es matter und matter, längst war die Insel versunken, und dann versank auch das Licht, und es gab nur noch das Meer, den Wind, den Himmel und den Mond. Da wandte er sich weg und ging leise pfeifend, die Hände in den Taschen, hinunter in den Mannschaftsraum.

VOCABULARY

This vocabulary omits some 2000 elementary words

aasig, *beastly, dirty; carrion-like*

ab; ab und zu, *now and again*

abdienen, *serve*

Abend/-brot (n), -essen (n), *supper.* -himmel (m), *evening sky*

abendlich, *evening-like*

Abend/-licht (n), *evening light.* -luft (f), *evening air.* -mantel (m), *evening cloak.* -sonne (f), *evening sun.* -stille (f), *evening calm*

Abenteuer (n), *adventure*

abermals, *once more, again*

abfahren, *start, set off*

abfallen, *fall, drop*

abfassen, *compose, draw up*

abfinden (refl.), *resign oneself (to), agree (to)*

abgeben (refl.), *concern oneself (with)*

Abgebrühtheit (f), *hard-boiled quality*

abgeneigt, *disinclined*

abgesehen, *apart (from)*

Abgespanntheit (f), *enervation, exhaustion*

abgründig, *infinite, all-engulfing*

abhalten, *keep off, prevent; hold (a meeting)*

abhängig, *dependent*

Abkunft (f), *origin, descent*

Abkürzung (f), *abbreviation*

Ablauf (m), *expiration, end*

ablegen, *leave off, take off; make (a confession)*

Ablehnung (f), *rejection, refusal*

ableisten, *achieve, serve*

ablenken, *divert, distract*

ablösen, *replace, relieve*

abmachen, *arrange*

abmagern, *grow thin*

Abnahme (f), *decrease, falling off*

abnehmen, *decrease, decline; take off*

Abneigung (f), *disinclination, aversion*

Abonnent (m), *subscriber, season-ticket holder*

abräumen, *clear; clear away*

Abreise (f), *departure*

abringen, *wrest (from)*

Absatz (m), *heel*

abschaffen, *abolish*

abscheulich, *abominable*

Abschied (m), *departure;* Abschied nehmen, *take leave, say goodbye*

abschneiden, *cut off, cut short;* er schneidet nicht übel ab, *he is not doing badly (out of it).*

Abschrift (f), *copy*

abschwellen, *subside*

absetzen, *depose*

absichtlich, *intentional(ly), on purpose*

Abspannung (f), *(sense of) relaxation*

abstechen, *contrast, stand out (against)*

Abteil (n), *compartment*

abtreten, *surrender, transfer, retire from, vacate*

abwägen, abwiegen, *weigh*

abwärtssinken, *sink downwards*

Abwaschbrett (n), *draining-board*

abwechseln, *change*

abwehren, *resist*

abwenden, *avert*

Abwesenheit (f), *absence*

abwinken, *beckon (someone) to go away*

Abzug (m), *deduction, removal;* in Abzug bringen, *deduct, allow for*

ach was! *of course not!*

acht, *eight;* noch acht Tage, *another week*

achten, *esteem, respect;* niemand achtet sein, *nobody takes any notice of him.*

Adamsapfel (m), *Adam's apple*

adelig, *aristocratic*

Affe (m), *ape, monkey*

Affenschwanz (m), *monkey's tail; stupid fool*

Ahnung (f), *inkling, notion*

ahnungslos, *unsuspecting*

alledem; bei alledem, *for all that, nevertheless*

allerhand, *all sorts of*

allerlei, *all sorts of (things)*

allezeit, *always*

allmächtig, *almighty*

allmählich, *gradually*

Alltag (m), *everyday, commonplace life*

Altbürgerschaft (f), *established middle class*

altern, *age, get older*

Altersgenoß (m), Altersgenossin (f), *contemporary, someone of the same age*

Amthaus (n), *court-house*

amtlich, *official*

amtseifrig, *officious*

Anbeter (m), *adorer, admirer*

anbieten, *offer*

anblicken, *glance at, look at*

anbringen, *fit, fix up*

anderthalb, *one and a half*

andeuten, *indicate, intimate*

Andeutung (f), *hint, innuendo*

Andrang (m), *rush, crowd*

anerkennen, *acknowledge*

anfechten, *disturb, trouble*

anfreunden (refl.), *make friends with*

Anführer (m), *leader*

angeben, *state, specify;* den Ton angeben, *set the fashion*

angeblich, *ostensibly*

Angebot (n), *offer*

angehen, *concern; go on, be switched on (of light)*

Angehörige(r) (m), *relative, one's own people; member*

Angel, (f) *fishing-hook, fishing-line*

Angelegenheit (f), *affair, business*

angeln, *fish*

angeregt, *brisk, animated*

Angesicht (n), *face;* angesichts, *in the face of, in the light of*

angestrengt, *strenuous(ly), with effort*

angewöhnen (refl.), *make a habit of, accustom oneself to*

angsterfüllt, *anxious, full of fear*

ängstigen, *alarm;* (refl.), *be afraid, be alarmed*

ängstlich, *timid, nervous*

anhalten, *stop; last, continue*

Anhänglichkeit (f), *attachment, affection*

anherrschen, *speak to in an overbearing manner*

anhören, *hear, listen (to)*

anklammern (refl.), *hang on, cling*

ankleiden, *dress*

ankommen, *arrive;* es kommt darauf an, *it all depends.*

Ankömmling (m), *arrival*

Ankunft (f), *arrival*

anlangen, *arrive at, reach*

Anlaß (m), *occasion, cause*

anlaufen, *rush upon; rise;* rot anlaufen, *turn red*

anlegen, *put on*

anlehnen, *lean*

anlocken, *entice*

anmachen, *light, kindle*

anmeiern, *trick, victimize*

anmelden (refl.), *announce (oneself), present (oneself)*

anmerken, *observe, notice*

Annehmlichkeit (f), *amenity*

anpreisen, *commend*

anrücken, *draw near, approach*

anrühren, *touch*

anschauen, *look at*

Anschaulichkeit (f), *obviousness, clearness*

Anschauung (f), *observation; view, idea*

anscheinen, *shine upon, light up*

anschließen (refl.), *attach oneself, join*

Anschluß (m), *contact, connection*
anschnauzen, *reprimand, go for*
Ansehen (n), *prestige, authority*
ansehnlich, *respectable, conspicuous*
ansichtig werden, *catch sight (of)*
Ansichts(post)karte (f), *picture postcard*
Anspruch (m), *claim*
anstarren, *stare at*
anstecken, *pin on, fasten on*
Ansteigen (n), *ascent; rise; slope*
anstellen, *employ, appoint*
anstimmen, *begin to sing, strike up*
Anstoß (m), *impulse; obstacle, check;* Anstoß an etwas nehmen, *take offence at something*
anstoßen, *push against;* anstoßend, *adjoining*
Antlitz (n), *face*
Anverwandte(r) (m), *relative*
anwehen, *seize, infect; blow upon*
anweisen, *direct, show*
anwenden, *apply, use*
anwesend, *present*
anziehen, *put on (clothes, etc.);* die Pferde ziehen schwer an, *the horses give a powerful heave.*
Apothekergehilfe (m), *chemist's assistant*
Applikation (f), *treatment*
apropos, *concerning, talking about*
ärgerlich, *vexed, angry*
ärgern (refl.), *be annoyed*
Arglosigkeit (f), *guilelessness*
Armut (f), *poverty*
Art (f), *kind, sort; way, manner*
Aschenbecher (m), *ash-tray*
Ast (m), *branch*
Atem (m), *breath;* mit fliegendem Atem, *panting*
Atlasschleife (f), *satin ribbon*
atmen, *breathe*
aufatmen, *breathe, heave a sigh of relief*
aufblicken, *look up*
Aufbruch (m), *start(ing), departure*

Aufenthalt (m), *stay; stoppage, delay*
aufessen, *eat up*
auffallen, *come to the notice of*
auffangen, *catch*
Auffassung (f), *attitude*
auffinden, *find out, discover*
auffordern, *invite*
aufführen, *perform*
Aufführung (f), *performance*
Aufgabe (f), *task; registration (of luggage on a train journey)*
aufgelegt, *disposed, inclined*
aufgeräumt, *cheerful, merry, jolly*
aufgeschwemmt, *bloated, fleshy*
aufglänzen, *light up*
aufheben, *pick up, lift up; care for, keep safe*
aufhören, *cease, stop*
aufkrempen, *turn up (trousers)*
auflegen, *spread, lay; put on*
auflehnen (refl.), *rebel, protest*
aufleuchten, *gleam, shine*
auflodern, *blaze up*
aufmachen, *open*
Aufmerksamkeit (f), *attention*
Aufnahme (f), *photograph, snapshot*
aufnehmen, *admit, receive; make out*
aufpassen, *watch out, pay attention*
aufregen, *excite*
Aufregung (f), *excitement*
aufrichten (refl.), *raise (oneself) up, stand up*
aufrühren, *poke, stir (up)*
aufschaufeln, *shovel up*
aufscheuchen, *scare, startle*
aufschneiden, *boast, show off*
aufschreiben, *write down*
Aufschrift (f), *superscription*
Aufschwung (m), *soaring; advance, boom*
Aufsehen (n), *stir, fuss*
Aufseher (m), *overseer*
aufsetzen, *put on, carry*
aufseufzen, *heave a sigh*
aufsingen, *sing up (to)*

aufspringen, *jump up*
aufstacheln, *stimulate, spur on*
aufstehen, *stand up, get up*
aufsteigen, *rise up*
aufstellen, *draw up, arrange;* (refl.), *place oneself, stand*
Aufstellung (f), *position; setting up*
auftreten, *appear, show oneself*
aufzucken, *start up*
Augapfel (m), *apple of (his) eye*
Augenaufschlag (m), *raising of the eyes*
Augenwinkel (m), *corner of the eye*
ausarbeiten, *train; perfect*
ausbilden (refl.), *develop*
ausbrechen, *break out*
ausbreiten, *spread out*
Ausbruch (m), *outbreak;* zum Ausbruch kommen, *break out, burst out*
ausdrücken, *express*
ausdrücklich, *express(ly)*
ausdrucksvoll, *expressive*
Ausdünstung (f), *exhalation, smell*
auseinander/-gehen, *disperse, part company.* -stieben, *disperse, scatter*
auserkoren, *chosen, selected*
Ausflug (m), *outing, excursion*
ausführlich, *in detail*
Ausgabe (f), *expenditure; edition*
Ausgang (m), *way out, exit*
ausgeben, *pass off (as); spend (money)*
ausgedient, *superannuated, pensioned off*
Ausgelassenheit (f), *boisterousness*
ausgenommen, *except for, excepting*
ausgezeichnet, *excellent*
Ausgleich (m), *levelling, equalization*
ausgleichen, *compensate, make a compromise*
aushalten, *sustain, hold (a note); endure, put up with*
aushöhlen, *hollow out*
Auskunft (f), *information*
auslachen, *laugh at, make fun of*
Ausländer (m), *foreigner*

auslassen, *let out, vent*
ausleeren, *empty (out)*
auslosen, *draw by lots*
ausmalen, *picture, fancy*
Ausnahme (f), *exception*
ausnehmend, *exceeding*
ausquartieren, *shift, move (away)*
ausräuchern, *smoke out*
ausrücken, *set off, decamp*
Ausruf (m), *exclamation, cry*
ausrufen, *call out*
ausschauen, *look; keep a look-out*
ausschlagen, *break loose, kick out*
ausschließlich, *exclusive*
aussehen, *look*
Aussehen (n), *appearance*
äußere(r), *external, outward*
äußern, *state, say*
äußerst, *extremely*
Äußerung (f), *manifestation, expression*
aussprechen, *pronounce; finish (a sentence)*
ausstatten, *equip, supply*
Ausstattung (f), *get-up, rig-out*
aussteigen, *get out, get off*
ausstellen, *show, exhibit; give (someone a testimonial)*
ausstoßen, *emit*
ausstrecken, *stretch out*
austoben (refl.), *have one's fling, let oneself go*
austreten, *withdraw, resign*
auswählen, *choose, pick out*
auswendig, *by heart*
Auswuchs (m), *growth, protuberance*
ausziehen, *take off*

Backenbart (m), *whiskers*
Back/-stein (m), *brick.* -werk (n), *confectionery, pastry*
Bad (n), *bath; bathe, bathing*
baden, *bathe*
bahnen, *prepare;* einen Weg bahnen, *force a way, make a way*

Bahn/-hof (m), *railway-station*. -körper (m), *railway-track, permanent way*

Baikalsee (m), *Lake Baikal (in Siberia)*

baldigst, *very soon*

Balken (m), *beam; piece of timber*

Band (n), *ribbon*

bang, *anxious*

Bangen (n), *fear, anxiety*

Bank (f), *bench, seat; bank*

Bankier (m), *banker*

bannen, *enchant; transfix; fix*

bar, *ready (cash); pure; bare*

Bartgewühl (n), *tangle of beard*

Bau (m), *building; (rabbit-)warren*

bäuchlings, *lying on one's stomach*

Bauernhaus (n), *farm-house*

baumlang, *long as a tree*

Baumstrunk (m), *tree-stump*

bayrisch, *Bavarian*

beachten, *heed, pay attention to*

Beamte(r) (m), *official*

beanspruchen, *claim*

beantworten, *answer*

beben, *shake*

Bedarf (m), *requirements, needs*

bedauern, *regret; be sorry for*

bedauernswert, *pitiable, deserving of pity*

bedenken, *consider*

bedeutend, *important; remarkable*

bedeutsam, bedeutungsreich, *significant*

bedienen, *serve; (refl.), make use of, use*

Bediente(r) (m), *servant*

Bedienung (f), *service*

Bedingung (f), *condition*

bedrücken, *oppress*

Bedürfnis (n), *need*

Beeinflussung (f), *use of influence, influencing*

Beendigung (f), *termination, conclusion*

befangen, *confused, constrained*

Befangenheit (f), *embarrassment, timidity*

befinden (refl.), *be, be situated*

Befinden (n), *health; opinion*

befremden, *surprise, astonish*

befühlen, *feel*

befürchten, *fear*

begeben (refl.), *go, betake oneself (to)*

begehen, *commit*

begeistern (refl.), *be enthusiastic*

Begeisterung (f), *enthusiasm*

begierig, *eager*

Begleiter (m), Begleiterin (f), *companion; accompanist*

Begleitung (f), *accompaniment*

begnaden, *favour, bless*

begnügen (refl.), *be content with*

begraben, *bury*

begreiflich, *comprehensible*

begrenzen, *mark off*

begründet, *well founded*

Begrüßungsgeprassel (n), *rustling of appreciative greeting*

begütigen, *soothe, appease*

Behauptung (f), *assertion*

beherbergen, *shelter, house*

beherrschen, *master, control*

behilflich, *of assistance, useful*

Behörde (f), *authority, official*

Behuf (m), *purpose;* zu diesem Behufe, *for this purpose*

behutsam, *cautious*

beieinanderbleiben, *stay together*

Beifall (m), *applause*

Beil (n), *hatchet, axe*

Bein (n), *leg*

Beinkleider (n. plur.), *trousers*

beiseiteschieben, *push aside*

Beistand (m), *assistance; support*

beiwohnen, *be present at*

bejahrt, *aged, elderly*

Bekannte(r) (m), *acquaintance*

Bekanntschaft (f), *acquaintanceship*

Bekenntnis (n), *confession*

beklagen, *lament (over), regret;* (refl.), *complain*

beklagenswert, *pitiable*

beklemmend, *oppressive, uneasy*
beklommen, *anxious, uneasy*
bekräftigen, *confirm*
bekümmern (refl.), *be troubled, be grieved*
belachen, *laugh at*
beladen, *weigh down, load up*
belasten, *load (up)*
belauschen, *overhear, eavesdrop (on)*
beleibt, *stout, portly*
beleidigen, *offend, insult*
Beleuchtung (f), *lighting*
belgisch, *Belgian*
belohnen, *reward*
belustigen, *amuse*
bemalen, *paint*
bemerkbar, *noticeable*
benehmen (refl.), *behave oneself*
Benehmen (n), *behaviour*
beraten, *advise*
Beratung (f), *conference, deliberation*
berauben, *rob, deprive*
berechtigt, *justified*
Beredsamkeit (f), *eloquence, loquacity*
bereichern, *enrich, adorn*
bereiten, *prepare*
bereits, *already*
bereitstellen, *keep ready*
bereitwillig, *ready, willing*
bergauf, *uphill*
bergen, *protect, secure, make safe*
Berlinerin (f), *girl (or woman) from Berlin*
Beruhigung (f), *reassurance*
Berühmtheit (f), *fame, celebrity*
Berührung (f), *contact*
Besatz (m), *trimming, border, edging*
beschäftigen, *occupy*
beschauen, *inspect, examine*
bescheiden, *modest*
beschließen, *decide; conclude*
beschwerlich, *burdensome, fatiguing*
besetzt, *crowded; occupied, taken*
besichtigen, *view, inspect*
besiegen, *conquer, subdue*

besinnen (refl.), *consider;* sich eines andern besinnen, *change one's mind*
Besinnung (f), *reflection*
Besitz (m), *property, possession*
besorgen, *attend to, look after*
Besorgnis (f), *fear, misgiving*
besorgt, *apprehensive, concerned*
bespritzen, *spatter*
bestaunen, *regard with astonishment*
bestehen, *consist (of); exist; insist (on)*
besteigen, *climb*
bestellen, *order, book; make an appointment (with someone); set out*
Bestellung (f), *order, commission*
besticken, *embroider*
bestimmt, *certain(ly); intended, destined*
bestrahlen, *light up, shine upon*
Bestrebung (f), *effort*
bestürzt, *dismayed, disconcerted*
Bestürzung (f), *consternation*
Besucher (m), *visitor*
beteiligen (refl.), *take part (in)*
betören, *delude, mislead*
Betragen (n), *behaviour*
betreten, *step (into), enter*
betrügen, *deceive*
betteln, *beg*
Bett/-gehen (n), *going to bed.* -verschlag (m), *partition for a bed*
beugen, *bend, incline;* (refl.), *lean, bend (over)*
Beute (f), *booty, catch*
Beutel (m), *bag*
bevorstehen, *be at hand, be in store (for)*
bevorstehend, *forthcoming*
bevorzugen, *prefer*
Bewachung (f), *supervision, watching*
bewahren, *look after, watch, keep;* (daß Gott) bewahre!, *Heaven forbid! Oh dear no!*
beweglich, *mobile*
Bewegtheit (f), *agitation*

Bewegung (f), *movement;* sich in Bewegung setzen, *start moving*

bewerten, *value*

bewohnen, *inhabit*

Bewunderung (f), *admiration*

bewußt, *conscious, self-conscious*

Beziehung (f), *connection, contact; extent, degree*

bezweifeln, *doubt*

bieder, *plain-spoken, honest*

Bienenstock (m), *bee-hive*

Bild (n), *picture; image*

bildungsreich, *highly civilized*

Billet (n), *ticket*

birnenförmig, *pear-shaped*

bißchen, *a little*

Bitterkeit (f), *bitterness*

blamabel, *ridiculous, embarrassing*

blank, *shining, bright; smooth*

blasiert, *blasé*

blaß, *pale*

Blässe (f), *paleness*

bläulich, *bluish*

bleiben, *remain;* bei etwas bleiben, *stick to something*

bleich, *pale*

blitzblank, *spick and span*

bloß, *merely; bare*

Blöße (f), *nakedness; undress*

blühen, *bloom, blossom*

Blumentopf (m), *pot of flowers*

Bluse (f), *blouse; shirt*

Blüte (f), *flower, blossom*

Bockleiter (f), *pair of steps, double ladder*

Bogen (m), *curve, bow*

Bogenlampe (f), *arc-light*

Boje (f), *buoy*

Boot (n), *boat*

Bord (n), (Low German = Brett, n) *board; tray*

borstig, *bristly*

Bösartigkeit (f), *malice*

Böschung (f), *slope*

branden, *surge, break*

Branntwein (m), *brandy*

braten, *roast, bake*

brauchbar, *serviceable, useful*

bräunlich, *brownish*

Braut (f), *fiancée, betrothed*

Bräutigam (m), *fiancé, betrothed*

brav, *commendable; well*

brechen, *break;* in seinen gebrochenen Augen, *in his dimmed eyes (of a dying man)*

breiten, *spread, spread out*

Brett (n), *plank, piece of wood*

Brief/-blatt (n), *sheet of paper.* -block (m), *writing-pad*

Brille (f), *pair of glasses*

Brüstung (f), *balcony, balustrade*

brüten, *brood*

bücken, *stoop, bend*

Bug (m), *(ship's) bow*

Bukett (n), *bouquet*

bunt, *bright, gay*

Burg (f), *castle; sandcastle*

Burg/-nachbarin (f), *neighbour on the beach.* -ruine (f), *castle ruin*

Chance (f), *chance, opportunity, luck;* Chancen haben, *have (good) prospects*

Charakterzug (m), *feature, trait of character*

Chor (m), *choir*

Choral (m), *chorale, anthem, hymn*

Christus (m), *Christ;* um Christi willen, *for Christ's sake*

Cis (n), *C sharp;* wo es nach Cis geht, *where it goes into C sharp*

con amore (Italian), *with love*

dabei, *near by, there; besides, all the same; about to*

Dach (n), *roof*

daheim, *at home*

daherkommen, *come along*

dahinfahren, *move along, drive along; pass*

97

away, *disappear*

dahinten, *behind*, *at the rear*

Damengruß (m), *curtsey*

dämm(e)rig, *dark*, *dusky*

Dämmerung (f), *twilight*

dampfen, *steam*

dämpfen, *subdue*, *restrain; hush*

Dampfer (m), *steamer*

Däne (m), *Dane*

Dankbarkeit (f), *gratitude*

daraufstellen, *place on it*

darben, *starve*, *be destitute*

darbieten, *offer*

Darstellung (f), *delineation*, *description*

dasitzen, *sit there*

dastehen, *be (there)*, *stand (there)*

Dauer (f), *duration*; während seiner Dauer, *while it lasted*

dauern, *last*, *endure; move to pity;* sie dauern mich, *I am sorry for them*

davon/-gehen, *go away.* -kommen, *get away, escape.* -laufen, *disperse, slip away, run away*

dazwischenfahren, *intervene*

Decke (f), *cover, coverlet; ceiling*

Deern (f), (Low German = Dirne, f) *lass, girl*

demütig, *humble*

demütigen, *humiliate, humble*

denkwürdig, *memorable*

derart, derartig, *such*

deuten, *point*

devot, *humble*

Diabolo (n), *diabolo (game with top and sticks)*

d.h. (=das heißt), *i.e., that is to say*

dick, *thick, big, fat;* dicke Milch, *curded milk, curds*

dienstlich, *official*

Direktion (f), *management*

Dirigent (m), *conductor (of choir or orchestra)*

dirigieren, *conduct, direct, manage*

Diskant (m), *treble, descant*

Dogge (f), *bulldog*

dokumentlos, *without papers*

Dolde (f), *cluster*

Dolmetsch (m), *interpreter*

dort, dortselbst, daselbst, *there, in that place*

drängen, *press, drive, urge;* es drängte ihn an…, *he longed (to go to)*

dranhalten (refl.), *stick to it, persist*

draußen, *outside*

Drehsessel (m), *(revolving) piano-stool*

dreikäsehoch, *high as three cheeses*

drinnen, *inside, within*

Drittel (n), *third (part)*

drollig, *funny, comic*

Droschke (f), *cab, carriage*

ducken (refl.), *duck, lower the head*

duftend, *perfumed, sweet-scented*

dulden, *tolerate, put up with*

Dummheit (f), *stupidity, foolishness*

dumpf, *deep-sounding; dull, stupid*

Dünen/-gewoge (n), *undulating dunes.* -mulde (f), *hollow in the dunes*

Dunkel (n), *dark, darkness*

dünken, *seem, appear;* es dünkt ihn an der Zeit, *it seems to him to be time*

dünn, *thin*

dunstig, *hazy, misty*

durchatmen, *breathe, take a deep breath*

Durchbrenner (m), *runaway, deserter*

durchdringen, *permeate, pervade*

durcheinander/-liegen, *lie in confusion.* -rücken, *confuse, disarrange.* -werfen, *throw about*

durchführen, *carry out*

durchlaufen, *run through*

durchschauen, *see through*

durchschlagend, *effective, powerful*

durchsichtig, *transparent*

durchwachen, *watch through, spend in watching*

durchzittern, *permeate, cause to vibrate*

dürsten, *thirst*

düster, *sombre*

Ebbe (f), *low tide*

eben/-falls, *also, likewise.* -sowenig, *just as little*

Ecke (f), *corner*

Edelfräulein (n) *young noblewoman*

Ehe (f), *marriage*

eher, *sooner; rather*

Ehre (f), *honour;* sich wieder in Ehren bringen, *regain credit*

Ehrenamt (n), *honorary office*

ehrenvoll, *honourable*

Ehrfurcht (f), *respect, reverence;* ehrfurchtgebietend, *awe-inspiring*

ehrlich, *honest*

ehrwürdig, *venerable*

Eiche (f), *oak-tree*

Eifer (m), *zeal, eagerness*

Eigenart (f), *peculiarity*

Eigentum (n), *property*

eilig, *hurried, quick*

eindringen, *penetrate*

eindringlich, *intrusive; forcible*

Einfachheit (f), *simplicity*

Einfall (m), *idea*

einfallen, *occur to*

einfangen, *catch, capture*

einfinden (refl.), *appear, arrive*

einflößen, *cause to flow in, infuse*

eingeboren, *innate;* Eingeborene(r) (m), *local inhabitant, native*

eingehen, *arrive;* auf etwas eingehen, *consent to something*

eingreifen, *intervene*

Einkauf (m), *purchase;* Einkäufe machen *go shopping*

Einladung (f), *invitation*

einmal, *once; now and again;* auf einmal, mit einemmal, *all at once;* nicht einmal, *not even*

einmütig, *unanimous*

Einnahme (f), *income, revenue*

einpacken, *put away, pack up*

Einrichtung (f), *arrangement, mechanism*

Einsamkeit (f), *solitude*

einsaugen, *suck in, absorb*

einschärfen, *urge upon, press upon*

einsehen, *understand*

einsteigen, *step in, get in*

Eintönigkeit (f), *monotony*

eintragen, *record, enter (in)*

eintreffen, *arrive*

einverstanden, *agreed, of the same mind*

Einverständnis (n), *agreement, collusion*

Einwand (m), *objection*

einweihen, *initiate; consecrate*

einwenden, *object, say against*

Einzelbericht (m), *separate account, detail*

Einzelheit (f), *detail*

Einzelwesen (n), *individual*

einziehen, *march (into), move (into)*

Eis (n), *ice; ice-cream*

Eisbein (n), *(pickled) pig's trotters*

Eisenbahnunglück (n), *railway-accident*

eisern, *made of iron*

Eisfläche (f), *sheet of ice*

eisgrau, *hoary (with age)*

Eispalast (m), *skating-rink*

elementar, *primitive*

elend, *wretched*

Elend (n), *distress, penury*

Elle (f), *ell (old measurement, about two-thirds of a metre);* Ellenmaß (n), *ell measurement*

Empfang (m), *reception*

Empfindlichkeit (f), *sensitiveness*

Empirekranz (m), *wreath in the Empire manner (Napoleon III's empire, 1852-1870)*

emporblicken, *look up*

Empore (f), *gallery*

empor/-gehen, *go up.* -halten, *hold up.* -klappen, *turn up.* -klettern, *climb up.* -raffen, *take up, snatch up*

empört, *indignant*

endgültig, *definite, final*

energisch, *energetic*

entfalten, *unfold; display*

Entfaltung (f), *development, unfolding*

entfernt, *far (from), away; distant, remote*

entführen, *abduct, carry off*

entgegenkommend, *obliging, accommodating*

entgegen/-sehen, *look forward to; anticipate, expect.* -stoßen, *thrust towards*

entgegnen, *answer, retort*

entgleisen, *come off the line, derail*

Entgleisung (f), *derailment*

Enthüllung (f), *revelation, disclosure*

entkommen, *escape*

Entkräftigung (f), *exhaustion*

entlanglaufen, *run along*

entnerven, *unnerve*

entschädigen (refl.), *make amends*

entschlagen (refl.), *rid oneself of*

entschuldigen, *excuse*

entschwinden, *disappear*

Entsetzen (n), *horror*

entsetzlich, *terrible*

entstellen, *distort*

enttäuschen, *disillusion, disappoint*

entweichen, *escape*

entwerfen, *plan, sketch, draw up*

Entzücken (n), Entzückung (f), *rapture, delight*

entzückend, *charming, delightful*

entzwei, *in two; smashed*

entzweischlagen, *break, shatter*

Erbauung (f), *edification*

erbeben, *quiver, tremble*

erblich, *hereditary, by inheritance*

ereignen (refl.), *happen*

ereignisvoll, *eventful*

erfahrungsgemäß, *in the light of previous experience*

Erfindungsgabe (f), *inventiveness, power of imagination*

erfolgreich, *successful*

Erfrischung (f), *refreshment*

erfüllen, *fill; fulfil*

ergänzen, *supplement*

ergeben (refl.), *result, follow; yield, resign oneself; devote oneself*

ergötzlich, *entertaining*

erhaben, *sublime, exalted*

Erhebung (f), *exaltation, elevation*

erhellen (refl.), *brighten*

erhitzen, *heat, grow heated*

Erhöhung (f), *enhancement, heightening*

Erholung (f), *recovery, improvement*

erhorchen, *collect by overhearing*

erkalten, *grow cold*

erkühnen (refl.), *venture (to)*

erkundigen (refl.), *inquire*

Erlaubnis (f), *permission*

erläutern, *explain*

erleiden, *(know from) experience; endure, put up with*

erlernen, *learn, acquire*

erleuchten, *light, illuminate*

erlöschen, *go out, be extinguished*

ernähren, *feed*

Erniedrigung (f), *humiliation*

erneuen (= erneuern), *renew*

ernsthaft, *serious, earnest*

Erregung (f), *excitement*

erröten, *blush*

Ersatz (m), *substitute, replacement*

erschleichen, *acquire surreptitiously*

erschüttern, *shake, unnerve*

ersehnen, *long for, desire*

erst, *first; only, just; erst jetzt, only now, not until now*

Erstaunen (n), *astonishment, surprise*

erstaunlich, *astonishing, surprising*

ersuchen, *request*

erteilen, *give, bestow*

ertragen, *endure, bear*

erträumen, *dream of, imagine*

ertrinken, *drown*

VOCABULARY

erübrigen, *save up*
Erwachsene(r) (m), *adult*
erwägen, *consider, reflect*
erwählt, *select, discriminating*
Erwartung (f), *expectation*
Erzeuger (m), *parent*
erziehen, *educate*
Erzieherin (f), *governess*
Erziehung (f), *education*
erzielen, *achieve*
eßbar, *edible*
Esser (m), *eater*
Eßtisch (m), *dining-table*
Etage (f), *storey, floor*
Etude (f), *study*
Extrazug (m), *relief train, extra train*

Fabelblume (f), *fabulous flower*
Fabrikbesitzer (m), *factory-owner*
Fachmann (m), *expert, specialist*
Fackel (f), *torch*
fadenscheinig, *threadbare, shabby*
Fähigkeit (f), *ability, capacity*
Fahne (f), *flag*
Fahrgast (m), *passenger*
Fahrschein (m), *ticket;* Fahrscheinheft
 (n), *book of tickets, ticket*
Fahrt (f), *journey;* in voller Fahrt, *at
 full speed*
Fältchen (n), *little wrinkle*
falten, *fold*
farbig, *coloured*
faßbar, *comprehensible*
fassen, *hold, grasp;* sich gefaßt machen,
 prepare oneself; ins Auge fassen, *fix
 one's glance upon*
faulenzen, *be lazy;* bei uns wird ge-
 faulenzet, *we take it easy*
faulig, *rotten, decayed*
Faust (f), *fist*
Faxe (f), *trick, silliness*
fehlen, *err; miss; be lacking; be wrong;* den

Wagen fehlte nichts, *there was nothing
 wrong with the carriages*
fehlerlos, *faultless, correct*
Feierabend (m), *end of work, knocking-off
 time*
feierlich, *solemn*
feilschen, *haggle, bargain*
feinsinnig, *subtle*
felsenfest, *firm as a rock, unshakable*
fernbleiben, *be absent (from)*
Ferne (f), *distance*
Fernglas (n), *telescope*
fertig, *finished; ready;* fertig werden,
 manage, get through
Fertigkeit (f), *skill, accomplishment*
fertigkriegen, *achieve, manage*
Festlichkeit (f), *festivity*
fest/-nehmen, *arrest.* -setzen, *decree,
 establish.* -stellen, *determine, ascertain*
Festzug (m), *festive procession*
Fetzen (m), *scrap, piece; rag*
feucht, *damp*
feuchten, *moisten*
Feuerwehr (f), *fire-brigade*
Fieber (n), *fever, high temperature;* Fieber
 haben, *have a temperature; be excited*
fingieren, *make up*
finster, *dark*
Fischfang (m), *catch, haul*
flach, *flat*
Flaggenmast (m), *flag-pole*
flechten, *plait, intertwine*
flecken, *spot, mark*
flehentlich, *imploring(ly)*
Fleisch (n), *flesh; meat*
Fleischhauer (m), *butcher*
fleischlich, *fleshy*
Fleiß (m), *diligence, industry*
flockig, *fluffy*
flott, *free, loose*
Flucht (f), *flight*
flüchten (refl.), *take refuge*
Flüchtling (m), *refugee*

Flügel (m), *wing; grand piano*

flüstern, *whisper*

Folge (f), *consequence;* zur Folge, *as a consequence*

Förderer (m), *promoter, patron*

förderlich, *conducive, advantageous*

fordern, *demand, request*

fördern, *further, advance; hasten; encourage*

forschen, *inquire, scrutinize*

Fortgang (m), *progress;* seinen Fortgang nehmen, *take its course*

fort-/jagen, *send packing.* -lassen, *let go.* -rühren (refl.), *move away.* -tragen, *carry away*

Frachtdampfer (m), *freight-steamer*

Frankreich (n), *France*

frauenhaft, *ladylike, womanly*

Frauen/-liebe (f), *love for women.* -zimmer (n), *woman, female*

frech, *cheeky, impudent*

Frechheit (f), *impertinence*

Freie (n), *open, open air, open country*

freimütig, *frank, open*

Freiplatz (m), *free seat*

freiwillig, *voluntary*

fremdartig, *strange*

Fremde (f), *unknown world*

Fremdheit (f), *strangeness*

fressen, *devour;* ein gefundenes Fressen, *easy game, a sitting target;* an etwas einen Narren gefressen haben, *be crazy about something, be mad about something*

freundschaftlich, *friendly, kindly*

friedlich, *peaceful*

frieren, *freeze*

frisieren, *curl; attend to (hair)*

froh, *glad, pleased; merry;* einer Sache froh werden, *enjoy a thing*

frohlocken, *exult, rejoice*

Fron (f), *compulsory labour*

Frosch (m), *frog*

frösteln, *shiver*

Frühling (m), *spring*

Frühstück (n), *breakfast*

frühzeitig, *early*

Fuchsbau (m), *fox-hole*

fügen, *put together;* (refl.), *fit (into), follow (after)*

füglich, *appropriate, right(ly)*

fügsam, *docile, accommodating*

fühlbar, *perceptible*

Füllfederhalter (m), *fountain-pen*

Funke (m), *spark*

funkeln, *gleam*

fürchterlich, *terrible, dreadful*

Fuß/-boden (m), *floor.* -spitze (f), *point of the foot*

Fütterung (f), *feeding*

Gamaschen (f. plur.), *spats*

Gang (m), *walk; corridor; passage, tunnel*

Gangfenster (n), *corridor window*

Garderobe (f), *cloakroom*

Gärtlein (n), *little garden*

Gasleuchtapparat (m), *gas-lit mechanism, apparatus*

Gasse (f), *street*

Gasthof (m), *inn, hotel*

Gebärde (f), *gesture*

geben, *give;* zum besten geben, *relate*

Gebet (n), *prayer;* ins Gebet nehmen, *take to task*

Gebieter (m), Gebieterin (f), *commander, ruler*

gebildet, *educated, refined, cultured*

Gebiß (n), *set of teeth*

gebrauchen, *use*

gebrechen, *be lacking;* was ihm an Schulung gebrach, *what he lacked in training*

gebrechlich, *fragile*

gedankenreich, *rich in ideas*

gedenken, *intend, think of*

gedrungen, *squat, compact*

Geduld (f), *patience*

gefährlich, *dangerous*

Gefährt (n), *vehicle; raft*

Gefährte (m), Gefährtin (f), *companion, partner*

gefällig, *agreeable, obliging*

geflissentlich, *intentional(ly), on purpose*

Gehaben (n), *behaviour*

geheimnisvoll, *mysterious*

gehen, *go; be suitable, be possible; succeed*

gehorchen, *obey*

gehorsam, *obedient; humble*

Gelächter (n), *laughter*

Geländer (n), *railing*

geläufig, *familiar*

gelegen, *situated*

Geldmünze (f), *coin*

gelegentlich, *occasional, incidental;* (preposition) *on the occasion of, in consequence of*

Gelenk (n), *wrist*

gelt (Upper German), *shan't we? is that not so?*

gelten, *be a question (of); be worth; be valid*

Gemeindeschreiber (m), *parish clerk*

Gemüt (n), *mind; heart, soul; disposition, nature*

gemütlich, *cosy, snug*

genehmigen (refl.), *permit oneself, agree to*

genesen, *recover, become well*

Genf, *Geneva*

Genosse (m), *companion, comrade*

Genuß (m), *pleasure*

Gepäckwagen (m), *luggage-van*

Gepränge (n), *pomp, splendour*

Geprassel (n), *clapping; crackling*

gerade/-aus, *straight ahead.* -zu, *positively, without ado*

geraten, *get (on to); go, become*

Geratewohl; aufs Geratewohl, *at random*

geraum, *considerable*

Geräusch (n), *noise*

Gerede (n), *idle talk*

gereizt, *irritable, angry*

Gerücht (n), *rumour*

Gerüst (n), *platform; scaffolding*

Gesandtschaft (f), *embassy*

Gesang (m), *song; singing*

geschäftig, *busy, active*

geschäftlich, *business, relating to business*

Geschäftsmann (m), *business man*

geschäftsmännisch, *businesslike, professional*

gescheit, *sensible, clever*

Geschenk (n), *present, gift*

Geschicklichkeit (f), *cleverness, ingenuity*

Geschirr (n), *crockery*

geschmacklos, *tasteless, in bad taste*

Geschöpf (n), *creature*

Geschrei (n), *shouting*

Geschwister (plur.), *brothers and sisters, brother and sister*

Geschwulst (f), *swelling*

gesellig, *social, sociable*

Geselligkeit (f), *sociability; company, social gathering(s)*

Gesinnung (f), *opinion, conviction*

gespannt, *nervous, excited, tense*

Geständnis (n), *confession*

gestreift, *striped*

Getümmel (n), *crowd, tumult*

gewahr, *aware*

gewahren, *perceive*

gewähren lassen, *leave alone, let someone have his own way*

Gewehr (n), *rifle*

Gewelle (n), *waves*

gewohnheitsmäßig, *in the accustomed way*

Gewöhnung (f), *accustoming, habit*

Gewölbe (n), *vault*

Gewühl (n), *crowd, throng*

Gitter (n), *iron bars (of a cage)*

glänzen, *sparkle*

Glanznummer (f), *star item*

Glas (n), *glass; monocle*

Glas/-gewölbe (n), *glass vault (i.e., of a station-roof).* -glocke (f), *globe (of a lamp).* -prisma (n), *glass prism.* -scheibe (f), *pane of glass*

glatt, *smooth*

glätten, *smoothe*

Glatze (f), *bald head*

glaubhaft, glaubwürdig, *credible*

gleich, *like;* ein Gleiches tun, *do likewise;* (= sogleich) *at once, immediately*

gleichen, *resemble*

Gleichgewicht (n), *balance, equilibrium*

Gleichgültigkeit (f), *indifference*

gleichsehen, *resemble, look like*

Gleis, Geleise (n), *(railway-)line*

gleiten, *glide, slip, move (to)*

glitschig, glitscherig, *slippery*

glitzern, *sparkle, glitter*

glückselig, *blissful*

Glücksfall (m), *lucky chance*

Glückwunsch (m), *congratulation*

glühen, *glow; be red-hot*

Glühlampe (f), *(incandescent) light*

Glut (f), *glow, fire, passion*

gnädig, *gracious*

goldenhell, *golden bright*

goldig, *golden*

gönnen, *not begrudge, wish (for)*

Gottesdienst (m), *church service*

gottlob, *thank God! thank goodness!*

grämlich, *peevish, morose*

gräßlich, *terrible, awful*

grausam, *cruel*

greifen, *seize;* zur Selbsthilfe greifen, *have recourse to self-help*

greis, *aged, old*

grell, *dazzling, glaring*

Griechenknabe (m), *Greek boy*

Grimm (m), *anger, rage*

grinsen, *grin*

grob, *uncouth, rough*

großkariert, *with a large check pattern*

Großstädter (m), Großstädterin (f), *inhabitant of a large city*

Grund (m), *reason; base, bottom;* im Grunde, *at bottom;* aus einem Grunde, *for one reason*

grünen, *be green, grow green*

Gucke (f), (Upper German = Papiertüte f), *paper-bag, packet*

gucken, *look, peep*

Gummischuhe (m. plur.), *galoshes*

günstigenfalls, *at best, under favourable circumstances*

gut, *good, well;* gut und gern, *easily, at least;* es gut haben, *be well off*

Güterzug (m), *goods train*

gutmütig, *kind-hearted*

Hafenmole (f), *harbour jetty*

halber, *on account of*

Hals/-band (n), *necklace; dog-collar.* -tuch (n), *neckcloth, scarf*

haltbar, *durable, lasting*

halten, *hold; keep; stop;* halten für, *take to be, think of as;* Cercle halten, *hold court*

haltmachen, *stop*

Haltung (f), *dignity, self-control*

Hamsterschatz (m), *hamster's hoard*

Hand (f), *hand;* auf der Hand liegen, *be self-evident*

handeln, *act, deal;* um was es sich handelte, *what it was about, what was involved*

Handelsmann (m), *dealer, trader*

Hand/-gelenk (n), *wrist.* -gepäck (n), *small luggage.* -haltung (f), *way of holding the hands.* -karren (m), *hand-cart.* -rücken (m), *back of the hand.* -schuh (m), *glove.* -tasche (f), *handbag, bag.* -werker (m), *craftsman, artisan*

hänseln, *tease*

Hanswurst (m), *clown, buffoon*

Harmonika (f), *accordion, concertina*

harren, *wait*

Hartnäckigkeit (f), *obstinacy*

hassen, *hate*

häßlich, *ugly*

hasten, *hasten, hurry*

Haufe (m), *heap; mass; crowd*

Haupt/-bahnhof (m), *main railway-station*. -sache (f), *chief matter; in der Hauptsache, in the main, generally*

Hausarbeit (f), *housework, domestic work*

häuslich, *domestic*

hegen, *cherish; harbour*

heil, *unhurt, unscathed*

heimisch, *native, home*

heimkehren, *return home*

heimlich, *secret*

heimwärts, *towards home, homeward*

heiraten, *marry; get married*

heißblütig, *hot-blooded, fiery*

heißen, *be called, be named; das heißt, that is to say*

hellblond, *very fair*

Helligkeit (f), *brightness*

herab/-regnen, *rain down*. -sehen, *look down (towards)*. -stürzen, *fall down*. -würdigen, *degrade*

heran/-kommen, *come along, come near*. -steuern, *steer up close*. -wälzen (refl.), *surge up*

heraus/-heben, *raise up*. -ziehen, *pull out*

herbei/-kommen, *come along*. -schleppen, *drag along*. -tragen, *carry over*. -wünschen, *wish for*

herbringen, *bring in, bring here*

Herd (m), *hearth, fireplace*

Herdenführer (m), *leader of the herd*

herein/-drängen, *press in*. -kommen, *come in*. -spähen, *peer into*

hergehen, *go, fit (into a place)*

hernach, *after that*

Herren/-ausdruck (m), *lordly expression*, -recht (n), *lordly right, lordly privilege*

Herrlichkeit (f), *magnificence, splendour*

Herrscher (m), *ruler*

hertragen, *carry along*

herüber, *over here, across this way*

herüber/-klingen, *sound across*. -kom-

men, *come over, come along*. -schauen, *look across*. -schwimmen, *swim over*

herum/-gondeln, *paddle around, go sailing around*. -laufen, *run around*. -tragen, *carry around*. -werfen (refl.), *throw itself about*

herunter-/laufen, *run down*. -nehmen, *take down*. -reißen, *tear down*. -schieben, *push down*. -springen, *jump down*. -steigen, *climb down*

hervor/-brechen, *burst out, break forth*. -holen, *fetch out*. -jubeln, *summon forward with acclamation*. -kommen, *appear, come forth*. -rufen, *call forth, occasion; call back (for an encore)*. -sprießen, *sprout out*. -stehen, *stand out, be prominent*. -treten, *appear, come forth*

herzstärkend, *heartening, encouraging*

heulen, *howl*

Heuschober (m), *haystack*

hilfreich, *helpful*

hilfsbereit, *helpful, ready to assist*

Hilfszug (m), *extra train, relief train*

hin, *there; gone, smashed up*

hinab/-beugen, *bend down*. -führen, *lead down*. -hängen, *hang down*. -stürzen, *fall down, tumble down*

hinauf/-laufen, *run up*. -schreiten, *stride up*. -steigen, *climb up*. -tragen, *carry up*

hinaus/-begeben (refl.), *go out*. -gehen, *extend, go out*. -kommen, *go out*. -ragen, *project (above)*. -rudern, *row out*. -springen, *jump out of*. -werfen, *throw out*

hindämmern, *brood; doze*

hindurchblicken, *look through, stare through*

hinein/-bringen, *introduce, bring in*. -fahren, *travel into, sail into*. -kriechen, *creep into*. -nehmen, *take in*. -stürzen (refl.), *hurl oneself in*

hinfahren, *travel along, go along*

Hinfälligkeit (f), *infirmity, weakness*

hingeben, *give up, devote; surrender*

hingegen, *on the contrary*

hin/-gehen, *go along, glide.* -gucken, *look, glance towards.* -halten, *hold out, present*

hinken, *limp*

hin/-nehmen, *put up with.* -neigen (refl.), *incline towards*

hinreichend, *sufficient, adequate*

hin/-reißen, *carry away, enrapture.* -rollen, *roll there.* -sehen, *look, stare.* -setzen, *set down, put down*

Hinsicht (f), *respect, regard*

hin/-stellen, *put, place.* -streuen, *strew about*

hinten, *at the back*

hinterblieben, *left over, discarded*

Hintergrund (m), *rear, back; background*

hinter/-listig, *crafty, deceitful.* -rücks, *behind (his) back*

hinträumen, *be dreaming, go on dreaming*

hinüber/-lassen, *let (go) across.* -schwimmen, *swim across.* -spielen, *play over on to*

hinunterschlucken, *swallow*

hin/-wogen, *go on rolling, go on undulating.* -ziehen, *attract, draw*

hinzufügen, *add*

Hirn (n), *brain*

Hirsch (m), *stag, deer, hart;* Hirschengasse (f), "Hart Street"

Hochbetrieb (m), *rush of activity*

hochmütig, *haughty, proud*

Hoch/-ruf (m), *shout of approval.* -saison (f), *height of the season*

Höchstzeit (f), *maximum period*

Hofdame (f), *maid of honour, lady in waiting*

hoffähig, *presentable at court*

hoffärtig, *arrogant, haughty*

Hoffnungslosigkeit (f), *helplessness*

Höflichkeit (f), *politeness*

Höhe (f), *height;* in die Höhe, *up(wards)*

Hoheit (f), *eminence, grandeur; highness*

Höhle (f), *cave*

höhnisch, *scornful*

holländisch, *Dutch*

holp(e)rig, *uneven, rough*

Holz/-bock (m), *block (of wood).* -kreuz (n), *wooden cross*

honett, *respectable*

Honig (m), *honey*

horchen, *listen*

Höschen (n. plur.), *little trousers*

Huf (m), *hoof*

Hüfte (f), *hip*

Hügel (m), *hill*

Huhn (n), *hen;* (plur.) *poultry*

huldigen, *pay homage (to)*

hüllen, *wrap (up)*

human, *humane*

Hungerkünstler (m), *starvation-artist(e), professional starving man*

hungern, *starve, fast*

hurtig, *brisk, swift*

Hut (m), *hat;* den Hut ziehen, *raise (one's) hat*

Hütte (f), *cottage, hut*

immerfort, *continually, constantly*

Impresario (m), *manager*

imstande sein, *be able, be in a position (to)*

inbrünstig, *ardent*

ineinanderschieben, *push into one another*

Ingenieur (m), *engineer*

innerlich, *inward*

Innerste (n), *innermost part*

Insaß (m), *occupant*

Instruktion (f), *order, regulation*

intim, *intimate*

inwendig, *inwardly, to oneself*

irdisch, *earthly*

irgend/-welcher, *some, any.* -wo, *somewhere*

irr(e), *confused*

irren, *rove, wander;* (refl.) *err, be wrong*

is (p. 82, = ist), *is*

Jäckchen (n), *little jacket*

Jacke (f), *jacket*

jagen, *hunt, chase*

Jahr/-markt (m), *fair.* -zehnt (n), *decade*

Jammer (m), *distress, calamity*

jammern, *wail, moan*

jauchzen, *jubilate, exult*

jedesmal, *each time*

jemals, *ever*

Jubel (m), *rejoicing*

jubilieren, *jubilate*

jugendlich, *youthful*

Junge (m), *boy;* (f. unusual) *girl, young woman*

Jungfer (f); alte Jungfer, *old maid, spinster*

Jungmannschaft (f), *young men*

Justizrat (m), *counsellor (at law)*

Käfig (m), *cage*

kahl, *bald*

kaltherzig, *cold-hearted*

Kamerad (m), *comrade; school-fellow*

kämmen, *comb*

Kammersänger (m), *singer at concerts (used also as a professional title)*

Kaninchen/-bau (m), *rabbit-warren.* -loch (n), *rabbit-hole*

Kanne (f), *jug; can*

Karfreitag (m), *Good Friday*

Karte (f), *ticket*

Kartenspiel (n), *game of cards*

Kasten (= Briefkasten) (m), *letter-box*

katzenhaft, *like a cat*

Kauf (m), *purchase, buying;* etwas in den Kauf nehmen, *take something into the bargain; put up with something*

Kauf/-laden (m), *shop.* -männlein (n), *little shopkeeper*

Kavalier (m), *cavalier, gentleman*

keck, *bold, impudent*

Kehlkopf (m), *larynx*

Kehraus (m), *voluntary (on leaving church)*

Kellner (m), *waiter*

kennen lernen, *become acquainted, get to know*

kennzeichnen (refl.), *be characterized, distinguish (itself)*

kentern, *overturn; capsize*

Kerl (m), *fellow*

Kiel (m), *keel*

kindisch, *childish*

kindlich, *childlike*

Kinn (n), *chin*

Kirchen/-bescherung (f), *church funds, collection.* -chor (m), *church choir.* -gesangverein (m), *church-music society, choral union.* -schiff (n), *nave.* -singen (n), *church singing*

Kiste (f), *box*

Klagegesang (m), *dirge, mournful song*

kläglich, *plaintive, doleful*

klapp, *click-clack*

klappen, *flap, clap*

Klapptischchen (n), *small folding-table*

klatschen, *clap*

Klavier (n), *piano*

kleiden, *dress*

Kleiderhaken (m), *clothes-peg*

Kleinstadt (f), *small town*

Klingklang (m), *jingle*

klopfen, *knock*

Klugheit (f), *cleverness, shrewdness*

Knall (m), *crash; explosion;* einen Knall haben, *be in a rage*

knapp, *short, bare(ly)*

knien, *kneel*

knipsen, *take a snapshot*

Knirps (m), *little fellow, whipper-snapper*

knirschen, *grate, crunch; creak*

Knöchel (m), *knuckle*

Knochen (m), *bone*

Knochen/-arm (m), **bony arm.** -bündel

(n), *bundle of bones*

knollig, *bulbous, lumpy*

Knopf (m), *button*

Koffer (m), *case; trunk*

Köhm (m) (Kümmel(branntwein), m), *cumin-brandy*

Kollege (m), *colleague, confrère*

Kommando (n), *word of command, order*

Kondukteur (m), *attendant, guard*

Konfekt (n), *sweets*

Konvolut (n), *bundle of paper*

Kopf (m), *head*; den Kopf hängen, *be downhearted*

Korb (m), *basket*; einen Korb kriegen, *be rejected, turned down (as a suitor)*

Koseform (f), *form of endearment*

kostbar, *precious, valuable*

köstlich, *charming, delightful*

krabbeln, *wriggle about, crawl about*

krachen, *crack, crash*

kraftvoll, *vigorous*

Kragen (m), *collar*

kramen, *rummage about*

Krankenmahlzeit (f), *invalid's meal*

Kranz (m), *wreath*

kraus, *curly, wrinkled*; kraus ziehen, *wrinkle*

kreischen, *shriek*

kreisen, *circle*

Kreuz (n), *cross*

kriegen, *get, obtain*; Lust kriegen, *fancy, feel an inclination*

Kronprinz (m), *Crown Prince*; Kronprinzens (plur.), *the Crown Prince and his lady*

krumm, *crooked, bent*

Küche (f), *kitchen*

Kugel (f), *bullet*

kühl, *cool*

Kultur (f), *civilization*

Kummer (m), *grief, trouble, worry*

kümmern (refl.), *care (for), trouble (about)*

Kunde (f), *information, news*

Kunde (m), Kundin (f), *customer*

künftig, *future*

Kunstgespinst (n), *artistically woven construction*

künstlerisch, *artistic*

künstlich, *artificial*

kunst/-reich, *ingenious, beautiful.* -unbedürftig, *without need of art.* -verständig, *expert in matters of art*

Kurgarten (m), *park, gardens (at a spa or resort)*

Kurhaussaal (m), *assembly-room hall*

Kurve (f), *curve*

küssen, *kiss*

Kutscher (m), *coachman, driver*

Kutter (m), *cutter*

Kuvert (n), *envelope*

lächeln, *smile*

lachen, *laugh*

Lächerlichkeit (f), *ridiculousness*

lächern, *make (someone) laugh*

lachsfarben, *salmon-coloured*

lackieren, *lacquer, paint*

Laden (m), *shop*

Laden/-tisch (m), *counter.* -tür (f), *shop door*

Lampenbrett (n), *lampstand*

landen, *land*

Landschaft (f), *country(side); landscape, scenery*

Landsmann (m), *fellow-countryman, compatriot*

längst, *for a long time, a long while ago*

langweilen, *bore; (refl.) be bored*

Lärchenallee (f), *larch avenue*

Lärm (m), *noise*

lärmen, *make a noise*

Laterne (f), *lamp, lantern*

lau, *mild, gentle; lukewarm, tepid*

Laub (n), *foliage, leaves*

lauern, *be on the watch (for), wait impatiently*

Lauf/-bahn (f), *career.* -bursche (m),

page-boy. -junge (m), *errand-boy*

Laune (f), *mood, frame of mind; whim, fancy*

Läuterung (f), *purification*

lautlos, *silent*

lebendig, *alive*

Lebensführung (f), *manner of life, conduct*

Lebertran (m), *cod-liver oil*

Lebewesen (n), *form of life*

lebhaft, *lively*

Lebzeit (f); zu ihren Lebzeiten, *during her lifetime*

Leder/-bandelier (n), *leather shoulder-belt.* -tapete (f), *leather tapestry.* -tuch (n), *leather-cloth*

ledig, *single, unmarried*

lediglich, *only, merely*

leeressen, *finish up (eating), empty*

legen, *lay;* (refl.) *be still; have recourse to*

Lehr/-prinzipal (m), *master (to whom an apprentice is bound).* -zeit (f), *period of apprenticeship*

Leib/-eigener (m), *serf.* -lied (n), *favourite song.* -wäsche (f), *underwear*

Leichnam (m), *corpse*

leid; es tut mir leid, *I am sorry*

leidenschaftlich, *passionate*

Leine (f), *lead (for holding a dog)*

Leinen/-anzug (m), *suit of linen.* -stoff (m), *linen material.* -tasche (f), *linen bag, hold-all*

Leistung (f), *achievement*

Lesestunde (f), *hour of reading*

leuchten, *gleam*

Leuchtturm (m), *lighthouse*

Leuchtturm/-haus (n), *house by the lighthouse.* -hügel (m), *lighthouse hill.* -lampe (f), *lighthouse lamp.* -wärter (m), *lighthouse-keeper*

licht, *light-coloured, pale*

liebenswürdig *attractive, sympathetic*

liebevoll, *affectionate*

Liebhaber (m), *lover*

lieblich, *charming, delightful*

Lieblings/-lied (n), *favourite song.* -stück (n), *favourite piece*

Liederkranz (m), *choral society*

liegen, *lie;* wem lag daran? *who was interested?*

Lineal (n), *ruler*

link, *left;* zur Linken, *on the left*

Linnen (n), (= more usually Leinen, n), *linen*

listig, *cunning*

Litze (f), *tape, lace, braid*

Lob (n), *praise*

locken, *entice, tempt*

lodern, *burn, burst forth, flare up*

Löffel (m), *spoon*

Logiker (m), *logician*

lohnen (refl.), *be worth while, pay*

Lorbeerkranz (m), *laurel wreath*

los(e), *loose, free; wrong;* (interjection) *go! come on! get moving! gee up!*

los/-brechen, *burst forth.* -kaufen (refl.), *purchase (his) liberty, buy (himself) off.* -lassen, *let go.* -lösen, *detach.* -segeln, *sail off.* -spielen, *start playing*

Lüge (f), *lie, deception*

lügen, *lie, tell a lie*

Lust (f), *pleasure, delight; inclination*

lustig, *merry, gay; amusing;* sich über ihn lustig machen, *make fun of him*

lustwandeln, *stroll, take a walk*

lüttje, (Low German), *little*

Luxus (m), *luxury*

Lyra (f), (= Leier, f), *lyre*

lyrisch, *lyrical*

Mäander (m), *decorated ribbon, meander*

Magd (f), *maid, maid-servant*

mager, *thin*

Magerkeit (f), *leanness*

Mahlzeit (f), *meal, repast*

mal, *now, just*

Mal (n), *time*

malen, *paint*

Mamachen (n), (diminutive) *Mamma, Mummy*

man, *one, someone;* (Low German) *only, just;* iß man auf, *just eat it up*

mancherlei, *all sorts of, many*

manchmal, *sometimes, many a time, often*

Manege (f), *circus-ring*

Manier (f), *manner*

männlich, *male*

Mannschaftsraum (m), *crew's quarters*

Manschette (f), *cuff*

Mantel (m), *coat*

Mantille (f), *mantilla, cape*

martialisch, *martial*

Maßnahme (f), *step, measure*

Matrose (m), *sailor*

matt, *faint, dim; dull*

Matte (f), *Alpine meadow, pasture*

Mausauge (n), *mouse-like eye*

Meeresstrand (m), *seaside*

Mehl (n), *flour*

meinetwegen, *on my account; just as you like, it's all the same to me*

Meisterschaft (f), *mastery, perfection*

melden (refl.), *report oneself, apply*

mennigrot, *painted with red lead*

Menschen/-alter (n), *generation.* -wert (m), *value as a person*

Menschheit (f), *humanity*

Merkmal (n), *sign, characteristic*

merkwürdig, *remarkable; strange, curious;* merkwürdigerweise, *curiously enough*

messen, *measure*

Messung (f), *measurement*

Miene (f), *look, mien, air*

Militärkapelle (f), *military band*

mischen, *mix*

Mißerfolg (m), *failure*

Mißgeschick (n), *mishap*

Mißmut (m), *ill-humour*

mißtrauisch, *mistrustful*

Mißverhältnis (n), *lack of proportion, disparity*

mitbringen, *bring along*

mitfahren, *travel in, go with*

mitgehen, *come along, go with*

Mitgliedschaft (f), *membership*

mitkommen, *come along, come too*

mitlachen, *join in laughing*

mitlaufen, *run (along with)*

Mitleid (n), *compassion, pity*

mitleidig, *pitying, compassionate*

mitmachen, *take part in*

Mitmensch (m), *fellow human-being*

mitnehmen, *take with, take along;* das ist mitzunehmen, *that's not to be sneezed at*

mitreißen, *carry away, enrapture*

mitsamt, *together with*

mitsingen, *sing (with)*

Mittel/-lage (f), *middle of the keyboard.* -punkt (m), *centre*

mittels, *by means of*

mittun, *join in*

Mitwissenschaft (f), *cognizance, sharing of the secret*

mitziehen, *drag along, pull along*

Möbel (n. plur.), *furniture*

Mode (f), *fashion*

Moder (m), *mustiness, mouldering*

modisch, *fashionable*

möglich, *possible;* möglichst, *as much as possible;* möglichst wenig, *as little as possible*

Moos (n), *moss*

Mord (m), *murder*

morsch, *decaying*

müde, *tired, weary*

mühevoll, *troublesome, difficult*

Mühle (f), *windmill*

Mühlenflügel (m), *sail of a windmill*

Mühsal (f), *trouble, toil*

mühsam, mühselig, *with difficulty; laborious*

München, *Munich*

Mundharmonika (f), *mouth-organ*

Munterkeit (f), *mirth, liveliness*

Münze (f), *coin*; wie bare Münze, *at (their) face value*
münzen, *coin, mint*; auf ihn gemünzt, *intended for him, meant for him*
murmeln, *murmur*
murren, *grumble*
Muße (f), *leisure, time*
Müßiggänger (m), *idler, loafer*
Mut (m), *courage*; ihm wurde ernster zumute, *he became more serious*
mutig, *brave, courageous*
mutlos, *disheartened, dejected*
Mütterchen (n), *little mother; little old woman*
mütterlich, *maternal, motherly*
Mütze (f), *cap*

na!, *now then!, very well!*
nachahmen, *imitate*
Nachbar (m), *neighbour*
Nachbarschaft (f), *neighbourhood*
nachblicken, *look after, stare after*
Nachdenken (n), *reflection, consideration*
nachdrängen, *press after, push from behind*
nachfolgen, *pursue*
nachgeben, *give way, yield*
nachkommen, *keep up (with)*
Nachmittag (m), *afternoon*
nachrennen, *race after*
nachrufen, *call after*
nachschleichen, *creep after, slip after*
nachsehen, *look after, investigate, have a look; inspect*
nachsingen, *sing after*
nachstarren, *stare after*
nächtlich, *nocturnal, taking place at night*
nachträglich, *after the event, subsequent(ly)*
Nacht/-wache (f), *night-watch, vigil*. -zug (m), *night train*
Nachzügler (m), *latecomer*
Nacken (m), *nape of the neck, neck*
nackt, *naked*

nagen, *gnaw*
Nähe (f), *proximity*; aus der Nähe, *at close quarters*
nahe/-legen, *urge upon, give to understand*. -sitzen, *sit near by*
Nahrung (f), *food, nourishment*
namenlos, *nameless*
namentlich, *especially, in particular*
nämlich, *namely, that is to say*
Nase (f), *nose*; die Nase voll haben, *have had enough, be fed up*
'ne (= eine), *a, one*
Nebel (m), *mist*
Nebentisch (m), *neighbouring table*
necken, *tease*
Neckerei (f), *teasing, mockery*
Neffe (m), *nephew*
nervös, *sensitive, highly-strung, nervous*
nett, *nice*
netto, *net, clear*
Netz (n), *net*
Neugier (f), *curiosity*
neugierig, *curious, inquisitive*
Neuheit (f), *newness, novelty*
neulich, *recently*
Neuzeit (f), *modern times*
nichtsdestoweniger, *nevertheless*
nichtswürdig, *worthless, base*
nicken, *nod*
niederbeugen (refl.), *bend down*
niederschlagen, *cast down*
niedersetzen (refl.), *sit down*
niedlich, *pretty*
nippen, *sip*
nisten, *(build a) nest*
Not (f), *trouble, exertion; distress; necessity, need; famine*
Notbremse (f), *emergency brake*
notdürftig, *scanty, necessitous*
Notenwesen (n), *(nature of) musical notation*
notieren, *note*
nötig, *necessary*; nötig haben, *have need*

Notizenmaterial (n), *collection of notes*

Notlage (f), *(condition of) distress*

Nu (m), *moment;* im Nu, *in an instant, in no time*

nützen, *be useful*

nutzlos, *useless*

ob, *whether, if;* ob.. wohl..? *I wonder-whether..?*

obendrein, *into the bargain, what is more*

Ober (m), *waiter;* Herr Ober, *waiter!*

oberhalb, *above*

Oberkörper (m), *upper part of the body*

och (= ach), *oh!;* och der, *oh, him!*

öde, *dreary, desolate*

ohne/-gleichen, *without compare, matchless.* -hin, *apart from that, besides*

ohnmachtähnlich, *comparable to a fainting fit*

Ohrenstuhl (m), *wing chair*

Ohrfeige (f), *box on the ears*

ordentlich, *proper(ly)*

Orgel (f), *organ*

Orgel/-podium (n), *organ platform.* -treter (m), *person who blows the bellows of an organ.* -tribüne (f), *organ platform.* -vorbau (m), *structure in front of the organ*

Orkan (m), *gale, hurricane*

Ortschaft (f), *place, locality*

Oster/-choral (m), *Easter chorale.* -fest (n), *Easter festival.* -montag (m), *Easter Monday.* -sonntag (m), *Easter Sunday*

packen, *seize*

Packpapier (n), *wrapping paper*

Paletot (m), (= Überzieher, Mantel, m), *overcoat*

Panamahut (m), *panama hat*

Papageiennase (f), *parrot nose*

Papierkorb (m), *wastepaper basket*

Paradigma (n), *paradigm; example, pattern*

Partei (f), *party, group, faction*

Partie (f), *part, section; party, company; game*

partout, *absolutely, at all costs*

Passagier (m), *passenger*

Pause (f), *interval, pause*

Pech (n), *pitch*

pechschwarz, *pitch-black*

Peiniger (m), *tormentor*

peinlich, *painful; scrupulous*

Pelz (m), *fur coat, fur*

perlengestickt, *embroidered in pearls, with bead-work*

Perron (m), (= Bahnsteig, m), *(railway)-platform*

Perserteppich (m), *Persian carpet, rug*

Personal (n), *personnel, staff*

Petroleumglühlicht (n), *incandescent oil-lighting*

pfeifen, *whistle;* es pfiff, *there was a whistle*

Pfeiler (m), *pillar, column*

pflegen, *care for, tend, nurse;* (refl.) *nurse oneself, look after oneself*

Pfleger (m), *nurse, attendant*

Pfosten (m), *(door-)post*

phantastisch, *fantastic; fanciful, exotic*

Photographie (f), *photograph*

picken, *peck*

piff-paff, *bang, bang!*

pipe; es ist mir pipe, *it's all the same to me* (slang)

Plafond (m), *ceiling*

plagen, *torment*

Plakat (n), *placard, poster*

platschen, *splash*

Platz (m), *square; place, spot; seat;* einem Platz machen, *make room for somebody*

platzen, *burst*

plaudern, *chatter*

Plüschkissen (n), *plush cushion*

Podium (n), *platform*

polieren, *polish*

Politur (f), *polish; varnish*

pomadisieren, *grease (with pomade)*
postieren, *station, place*
prächtig, *marvellous*
Prachtswetter (n), *marvellous weather*
prachtvoll, *magnificent*
prahlen, *attract attention; boast*
prahlerisch, *ostentatious*
preisgeben, *abandon, expose*
preiswürdig, *praiseworthy*
prickeln, *prickle, sting*
Probe (f), *rehearsal*
Probezeit (f), *trial period*
probieren, *try*
Properkeit (f), *correctness*
Protokoll (n), *record, report*
prügeln, *beat, thrash*
Prunk (m), *show, ostentation*
prunken, *be ostentatious, show off*
prunkhaft, *pretentious, showy*
pudern, *powder*
Puff (m), *blow, thump*
Puppe (f), *doll*
putzen, *clean*

quälen, *torment, vex, tease*
Qualm (m), *vapour, smoke*
quellen, *pour forth, gush forth*
quittieren, *receipt*

Rachen (m), *jaw, throat*
Rad (n), *wheel*
Radau (m), *row, noise*
ragen, *tower (over)*
Rang (m), *class, rank*
rasend, *frantic, distracted*
Ratlosigkeit (f), *perplexity*
Rätsel (n), *riddle, puzzle*
Raubritterburg (f), *robber-knight's castle*
Raubtier (n), *carnivorous animal*
Rauch (m), *smoke*
rauchen, *smoke*
rauf (= herauf), *up*; rauf/-bringen, *take up*. -steigen, *climb up*

rauh, *rough*
räumen, *remove, clear away*; das Feld räumen, *retreat, leave the field*
Räumlichkeit (f), *locality*; (plur.) *premises*
Räumungsarbeit (f), *clearing-up operation*
raus (= heraus), *out (here)*
Rausch (m), *intoxication*
rauschen, *rustle; swirl*
Rechnung (f), *bill*; auf seine Rechnung, *at his expense*
recht, *right; real, genuine; quite, really, very; solid, thorough*; ihm recht geben, *concede that he is right*; recht haben, *be right*
rechtzeitig, *punctual*
Redakteur (m), *editor*
Redefähigkeit (f), *ability to speak*
Redensart (f), *phrase, expression*
redlich, *honest, straightforward*
regen (refl.), *stir, arise*
Regie (f), *management*
reichen, *suffice, be enough; hand, pass, reach*
reichlich, *abundant, ample; easily*
reihen (refl.), *be in a row, be ranged*
rein (= herein), *in, in here*
rein, *pure(ly)*
Reinlichkeit (f), *cleanliness, neatness*
reinrassig, *thoroughbred*
Reisefieber (n), *excitement at the prospect of travelling*
Reisser (m), *star-turn, best number, hit*
Reiter (m), *horseman, cavalryman*
Reizbarkeit (f), *irritability, touchiness*
reizen, *attract*
reizend, *charming, attractive*
Reklame (f), *advertisement*
Reklameapparat (m), *advertising machinery*
reklamesüchtig, *desirous of publicity*
Reling (m), *breast-rail, railing*
rennen, *race, run*
repräsentieren, *play a representative role*
resigniert, *resigned*
Rettung (f), *rescue, saving*

reumütig, *penitent*

Reunion (f), *dance (especially at a seaside resort)*

richten, *direct*

riechen, *smell*

Riesenqualle (f), *(giant) jellyfish*

ringen, *wrestle; struggle;* die Hände ringen, *wring the hands*

Rippe (f), *rib*

Rock (m), *coat*

Rollschuh (m), *roller-skate;* Rollschuh laufen, *go roller-skating*

Romantik (f), *romanticism*

rosig, *rosy*

rotgeblümt, *patterned with red flowers*

rüber (= herüber), *over (here)*

Ruck (m), *shove, push*

rucken, *cluck*

Rücken (m), *back*

Rücksendung (f), *sending back*

Rücksicht (f), *consideration, respect*

rücktretend, *stepping back*

rückwärts, *backwards, back*

Ruder (n), *oar*

rudern, *row*

Ruhe (f), *rest, peace, composure;* Ruhe geben, *be silent;* zur Ruhe gehen, *go to rest*

Ruhepause (f), *pause*

Rührung (f), *emotion*

rund, *round;* rundum, *roundabout, round and about*

runter (= herunter), *down*

runzelig, *wrinkled*

Russe (m), *Russian*

Rußland (n), *Russia*

rüsten (refl.), *prepare (oneself)*

rüstig, *robust, vigorous*

rütteln, *shake, rattle*

Saalmiete (f), *rent of the room*

sachlich, *factual*

Sachlichkeit (f), *objectivity*

Sacktuch (n), (Upper German, = Taschentuch, n), *handkerchief*

Säge (f), *saw*

Salat (m), *lettuce; salad*

Salz (n), *salt*

Sammetfauteuil (m), *velvet armchair*

Sammlung (f), *gathering; collection; composure, collectedness*

samt, *together with*

Sandmulde (f), *valley, declivity (of sand)*

Sänger (m), Sängerin (f), *singer*

Sanges/-bruder (m), *fellow minstrel.* -kunst (f), *art of singing*

satt, *satiated, full;* etwas satt haben, *be sick of something*

Satte (f), (Low German), *basin, bowl (of milk)*

Satzteil (m), *part of a sentence*

sauber, *clean*

sauer, *sour*

Sauerkraut (n), *sauerkraut (spiced pickled cabbage)*

säuseln, *rustle through*

schade, *what a pity!*

schaden, *harm, injure*

Schaffner (m), *(railway-)guard*

Schal (m), *scarf, shawl*

schälen (refl.), *peel (off); show itself*

schallend, *resounding*

schämen (refl.), *be ashamed*

schamhaft, *shame-faced*

Schande (f), *shame*

Schankzimmer (n), *public bar*

Schärfe (f), *sharpness*

Scharfsinn (m), *ingenuity, intelligence*

Scharlatanerie (f), *charlatanry*

scharren, *scrape; scratch*

Schärpe (f), *sash*

schattig, *shady*

Schaubude (f), *booth*

Schauer (m), *terror, trembling*

Schauhungern (n), *starving for public entertainment*

schäumen, *foam*

Schaustellung (f), *show, spectacle*

Schein (m), *light; appearance*

scheinbar, *apparent*

Scheinwerferlinse (f), *searchlight lens*

scheiteln, *part (the hair)*

scheren (refl.), *go off;* scheren Sie sich zum Teufel, *go to the devil*

Scherz (m), *joke, jest, game*

scheu, *shy*

Scheu (f), *shyness, timidity*

scheußlich, *dreadful*

schicken, *send;* (refl.), *be proper, be suitable;* sich darein schicken, *resign oneself to it*

schicklich, *suitable, proper*

schief, *askew, slanting*

Schienenstrang (m), *(railway-)track*

Schillerkragen (m), *shirt collar (worn open at the neck, as in portraits of Friedrich Schiller)*

Schimmer (m), *glimmer, shimmer; glitter, show*

schimmern, *gleam*

schimpfen, *curse, abuse*

Schlachtplan (m), *plan of campaign*

Schlaf/-anzug (m), *sleeping attire.* -kabinett (n), *sleeping compartment.* -wagen (m), *sleeping carriage*

Schlag (m), *stroke; striking (of a clock); stroke (of an oar)*

schlagen, *strike; wrap up (paper);* in die Hände schlagen, *clap hands*

Schlechtigkeit (f), *baseness, mean trick*

Schleierauge (n), *film-covered eye*

Schleife (f), *bow*

schlenkern, *jerk, jolt*

schleudern, *hurl, throw*

schlicht, *simple*

Schlichtheit (f), *simplicity, plainness*

Schlittschuh (m), *skate;* Schlittschuh fahren, *skate, go skating*

schlottern, *hang loosely, fit badly*

schluchzen, *sob*

Schlupfwinkel (m), *haunt, hiding-place*

Schluß (m), *conclusion, end;* Schluß mit dem Klagegesang, *no more of that mournful song*

schmachten, *languish*

schmal, *narrow*

schmecken, *taste; be to the liking (of); be reminiscent (of)*

Schmeichelei (f), *flattery*

schmeicheln, *flatter*

schmerzhaft, *painful*

schmieden, *devise; forge*

schmunzeln, *simper, smirk*

schmutzig, *dirty*

schnarchen, *snore*

Schnarcherei (f), *snoring*

Schnauzbart (m), (= Schnurrbart, m), *moustache*

Schnecke (f), *snail*

Schnee (m), *snow*

schneeig, *snowy, white as snow*

schneiden, *cut*

Schnellzug (m), *express-train*

Schnitt (m), *cut*

Schnur (f), *string, line*

Schnurrbart (m), *moustache*

schonen, *spare*

schöpferisch, *creative*

Schornstein (m), *chimney*

Schoß (m), *bosom, lap*

schräg, *slanting, diagonal; across*

Schrei (m), *cry*

schrill, *shrill*

Schublade (f), *drawer*

Schüchternheit (f), *shyness*

Schuh (m), *shoe*

schuldgetrübt, *darkened by guilt*

Schul/-haus (n), *school-house, school building.* -jugend (f), *school-children.* -lehrer (m), *schoolmaster.* -stube (f), *schoolroom, classroom*

Schulung (f), *schooling, training*

Schulzeit (f), *school-time;* (plur.), *school-days*

schütteln, *shake*

schwabbelig, *wobbling*

Schwäche (f), *weakness*

Schwägerin (f), *sister-in-law*

Schwalbe (f), *swallow*

schwanken, *hesitate; sway*

Schwarzbrot (n), *black (rye) bread*

schwarz/-gewellt, *black wavy.* -händig, *black-handed*

Schwarm (m), *swarm*

schwatzen, *chatter*

schweben, *hover, be suspended*

schweigsam, *silent, quiet*

Schweiß (m), *sweat, perspiration*

Schweiz (f), *Switzerland*

schwelgen, *indulge, take delight*

schwellen, *rise, swell*

schwenken, *toss, wave*

Schwindel (m), *swindle, fraud; giddiness*

Schwindler (m), *swindler*

schwindlig, *giddy*

schwirren, *whirl, flit, flutter*

Schwung (m), *buoyancy, liveliness*

schwunghaft, *lively*

See (m), *lake;* (f), *sea*

See/-bär (m), *old salt.* -hund (m), *seal*

Seelenqual (f), *mental agony*

See/-luft (f), *sea air.* -mann (m), *sailor, seaman.* -schwalbe (f), *sea swallow, tern*

Segel (n), *sail*

sehen, *see;* da sieh mal einer, *fancy that!*

sehnig, *sinewy*

Sehnsucht (f), *yearning, longing, desire*

sehnsüchtig, *longing, yearning*

Seidenkleid (n), *silk dress*

seidig, *silk, silken*

seinesgleichen, *his equals, his own sort*

Seitengang (m), *side passage*

seitwärts, *at the side; sideways*

Selbst/-erhaltungstrieb (m), *instinct of self-preservation.* -hilfe (f), *self-help.* -täuschung (f), *self-deception.* -verleugnung (f), *self-denial.* -verständlichkeit (f), *presumption, taking as a matter of course*

selig, *blissful, overjoyed*

Seltsamkeit (f), *strangeness, oddity*

senken (refl.), *droop, lower*

Sessel (m), *seat, stool*

seufzen, *sigh*

Seufzer (m), *sigh*

Sichtbarkeit (f), *sight; visibility*

Siegelring (m), *signet ring*

siegen, *be victorious, win*

silberhell, *bright as silver*

silbern, *silver, of silver*

sinn/-reich, *ingenious.* -voll, *meaningful*

sitzen, *sit;* sitzen lassen, *leave in the lurch*

Sklave (m), *slave*

sofort, *at once*

Sohle (f), *sole (of the foot)*

Sonderbarkeit (f), *peculiarity*

Sonnenuntergang (m), *sunset*

sonnig, *sunny*

Sorgfalt (f), *care*

sorgsam, *careful, punctilious*

Spagat (n), (= Bindfaden, m), *string, twine;* Spagatknäuel (n), *ball of string; parcel tied up with string*

Spalier (n), *lane, double row*

Spannung (f), *tension*

sparen, *spare, save; dispense with*

Spaß (m), *joke;* Spaß machen, *make fun (of)*

Spaßvogel (m), *wag, joker*

späterhin, *later on*

Spätling (m), *latecomer, late-born child*

spazieren gehen, *go for a walk*

Spatz (m), *sparrow*

Speise (f), *food*

Speisekammer (f), *pantry, larder*

Spende (f), *present, gift, donation*

Spiegel (m), *mirror*

Spiel/-platz (m), *recreation ground, play-ground*. -sache (f), *plaything, toy*

spinnen, *spin, pursue*

spitzen, *point*

Spitzenkleid (n), *dress trimmed with lace*

spitzfindig, *crafty, subtle*

spitznäsig, *sharp-nosed*

spleenig, *moody, erratic, restless*

Spott (m), *mockery; laughing-stock*

Sprechvermögen (n), *ability to express oneself*

spritzen, *splash*

sprossen (= sprießen), *sprout (forth)*

Spruch (m), *saying, short speech*

Sprung (m), *jump, leap*

spüren, *feel, be aware of*

stahlblau, *steel-blue*

Stall (m), *stable*

Stallung (f), *stable, stabling*

stammeln, *stammer*

stammen, *originate, come (from)*

standhalten, *stand firm (against)*

ständig, *permanent*

Standort (m), *position, pitch, stand*

Stange (f), *pole, rod*

starkknochig, *strong limbed, strong boned*

starr, *rigid*

starren, *stare*

Stationschef (m), *stationmaster*

Stätte (f), *place*

stattlich, *stately, majestic*

staunen, *be astonished*

stecken, *put; be stuck, be caught*

stehlen, *steal*

Stehplatz (m), *place (at which to stand); standing-room*

steif, *stiff*

steigern, *increase*

steil, *steep*

Stich (m), *sting, bite; im Stich lassen, leave in the lurch*

Stickmuster (n), *pattern for embroidering*

Stiefel (m), *boot*

stillhalten, *keep still*

Stimmbruch (m), *breaking of the voice*

Stimmungsbild (n), *impression, picture in words*

Stirn (f), *forehead; die Stirn haben, have the impertinence*

stocken, *stop, get stuck*

Stolz (m), *pride*

Stoß (m), *push, jerk; (electric) shock*

stoßen, *push; emit*

stottern, *stutter, stammer*

Strafmittel (n), *method of punishment*

Strahl (m), *beam*

strahlen, *shine; beam (with delight)*

Stramin (m), *canvas for needlework; stramingestrickt, embroidered on canvas*

Strand (m), *shore, beach*

Strand/-korb (m), *wicker-chair (for the beach)*. -promenade (f), *promenade*

strapazieren, *knock about*

Straßenrand (m), *edge of the road*

streben, *strive*

strecken, *stretch*

streicheln, *stroke*

streichen, *stroke, pass lightly*

Streif(en) (m), *strip*

streiten, *dispute, argue*

Strenge (f), *sternness, strictness*

Stroh (n), *straw*

strömen, *flow, stream*

Strömung (f), *current*

Strophe (f), *verse, stanza; line (of a stanza*

struppig, *dishevelled, unkempt*

Stube (f), *room*

Stuhl (m), *chair*

stumm, *dumb, speechless, silent*

stumpf, *blunt; blurred, dull*

stürmen, *take by storm*

Sturz (m), *fall, downfall*

stützen (refl.), *lean, support oneself (on)*

Süden (m), *south*

summen, *hum*
Suppe (f), *soup*

tadeln, *blame*
Tafel (f), *table; board, notice-board*
Tag (m), *day;* tagelang, *for days (to-gether);* tags zuvor, *the day before;* an den Tag legen, *exhibit, display*
Tagebuch (n), *diary*
Taille (f), *waist*
Takt (m), *bar (of music); tact*
taktvoll, *tactful*
Taler (m), *three Mark piece (silver coin, no longer in use)*
tanzen, *dance*
tapfer, *brave*
Tasche (f), *pocket; purse, handbag*
Taschen/-lampe (f), *(pocket-)torch.* -tuch (n), *handkerchief*
Tasse (f), *cup*
Tastatur (f), *keyboard*
taub, *deaf*
Teil (m), *part;* (n), *portion, share;* für sein(en) Teil, *for his own part*
Teilnahme (f), *sympathy, concern*
teilnehmen, *take part (in)*
Teller (m), *plate*
Teufelskerl (m), *devil of a fellow*
Tiefe (f), *depth*
tiefstehend, *lowly*
tierisch, *animal, animal-like*
Tischzeug (n), *table-linen*
tja, *oh, well! well, well!*
Toilette (f), *dress, personal appearance; toilet;* Toilette machen, *prepare for bed*
toll, *mad*
Ton (m), *note, sound, tone; clay, earthen-ware;* schlechter Ton, *bad form*
Tonschüssel (f), *earthenware dish, bowl*
Topf (m), *pot, basin*
Topfkuchen (m), *(type of) cake*
totenbleich, *pale as death*
Totenstille (f), *deathly silence*

Träger (m), *carrier*
tränen, *water, run (with tears)*
trauen, *trust*
träumen, *dream*
Traurigkeit (f), *sadness*
treiben, *drive; drift, float*
Treiben (n), *bustle, activity*
Treppe (f), *steps*
Treppensteigen (n), *climbing of steps*
triftig, *cogent, valid*
Trikot (m), *tights*
Trinkspruch (m), *toast;* einen Trink-spruch ausbringen, *give a toast*
Trittbrett (n), *carriage step*
Trompetenstoß (m), *trumpet blast*
tropfen, *drop, fall*
Tropfen (m), *drop, bead (of perspira-tion)*
trösten, *comfort, console*
tröstlich, *comforting, consoling*
trostlos, *disconsolate*
Trotz (m), *defiance, stubbornness*
trotzig, *haughty*
trüb(e), *dim, sad; downcast*
trübselig, *sad, downcast*
Trümmer/-stätte (f), *site of the wreckage.* -wüste (f), *waste of ruins*
Turm (m), *tower*
Tusch (m), *flourish (of trumpets)*
tuscheln, *whisper*
tuten, *hoot, sound a horn*
Typ, Typus (m), *type*

übel, *evil;* hätten nicht übel Lust, *would not mind*
Übelkeit (f), *nausea, sickly feeling*
übelnehmen, *take amiss*
üben, *practise, rehearse;* eine Wirkung üben, *have an effect*
überaus, *extremely, exceedingly*
überdrüssig, *weary, fed up*
übereinkommen, *agree, come to an understanding*

überflüssig, *superfluous, useless*

übergeben, *give, give in charge of*

übergehen, *change (into), move (into); pass down, pass on*

übergießen, *pour over, suffuse*

überhäufen, *overwhelm*

Überlegung (f), *consideration, reflection*

übermannen, *overpower, overcome*

überragen, *surpass*

überreich, *extremely rich*

überrieseln, *pour over, overcome*

überrumpeln, *take by surprise*

übersättigen, *surfeit, glut*

überschlagen (refl.), *break (of the voice)*

überschwemmen, *submerge, flood*

überschwer, *excessively heavy*

übersetzen, *translate*

übertaghell, *brighter than daylight*

übertreffen, *surpass*

übertreiben, *exaggerate*

übervoll, *overfull, crowded*

überweisen, *hand over, pass on (to)*

überziehen, *cover*

Uhu (m), *owl*

um, *around, near at;* um alles, *for anything (in the world)*

umarmen, *embrace*

umdrängen, *crowd round*

umdrehen (refl.), *turn round*

umfallen, *fall down*

umfangreich, *extensive*

umflattern, *hover around*

Umgang (m), *association, mixing (with)*

Umgebung (f), *surroundings; persons around one*

umherschleichen, *creep around, slink around*

umherstehen, *stand around*

umjohlen, *surround noisily*

umjubeln, *surround in acclamation*

umkränzen, *wreathe, surround*

umpacken, *repack*

umrahmen, *form a frame round*

umrändern, *put a border round,* matt umrändert, *encircled by dull rings*

umschlagen, *turn, reverse, change*

umschließen, *surround*

umschnörkelt, *adorned with flourishes*

Umschwung (m), *reaction, sudden turn*

umsegeln, *sail round, hover around*

umsehen (refl.), *look round*

umsonst, *in vain, for nothing*

umständlich, *ceremonious, fussy*

Umständlichkeit (f), *formality, detail*

Umstandswort (n), *adverb*

umtauschen, *exchange*

umtoben, *rage around*

umwenden (refl.), *turn round*

umwinden, *wind round*

unablässig, *continual*

unbefriedigt, *unsatisfied, disappointed*

Unbefriedigtheit (f), *dissatisfaction*

unbegreiflich, *incomprehensible*

unbehelligt, *unmolested*

unbeherrscht, *uncontrolled*

unbeholfen, *awkward, clumsy*

Unbelehrtheit (f), *ignorance*

unbenützt, *unused*

unbequem, *uncomfortable; inconvenient, troublesome*

unberühmt, *obscure*

unberührt, *untouched*

unbescholten, *blameless, irreproachable*

unbeschränkt, *boundless, unlimited*

unbeweglich, *unmoving*

unbewußt, *unconscious*

Unbildung (f), *lack of education*

undeutlich, *confused, hazy*

unedel, *ignoble, vulgar*

unentbehrlich, *indispensable*

unergiebig, *unfruitful, unrewarding*

unerklärlich, *inexplicable, in an inexplicable manner*

unerwartet, *unexpected*

unerzogen, *uneducated, untrained*

unfertig, *immature*

unfest, *loose*

unfrisiert, *with hair that has not been curled*

ungebührlich, *improper, unseemly*

ungefähr, *approximate(ly), roughly*

ungenügend, *inadequate*

ungenutzt, *unused*

ungerecht, *unjust*

ungesäumt, *at once, immediately*

ungescheut, *bold, undaunted*

ungeschickt, *clumsy*

ungetröstet, *unconsoled*

ungewiß, *uncertain*

ungewöhnlich, *unusual*

ungewohnt, *unusual; unaccustomed*

ungut; nichts für ungut, *no offence! no harm meant!*

unheilbar, *incurable*

unkenntlich, *unrecognizable*

unleserlich, *illegible*

unmittelbar, *direct, immediate*

unpassend, *unsuitable*

Unpäßlichkeit (f), *indisposition*

unreif, *immature*

Unruhe (f), *restlessness*

unsagbar, *unspeakable, ineffable*

unsanft, *ungentle, not so gentle*

unscheinbar, *homely, plain*

Unschuld (f), *innocence*

unsicher, *uncertain*

Unsinn (m), *nonsense*; Unsinn treiben, *play the fool, indulge in jokes*

unterbringen, *find a place (for), find accommodation (for)*

unterdessen, *meanwhile*

unterdrücken, *suppress*

untergehen, *sink, set*

Unterhalt (m), *keep, maintenance*

Unterhaltung (f), *conversation; entertainment*

unterhandeln, *negotiate*; sich aufs Unterhandeln legen, *have recourse to negotiation*

Unternehmungsmut (m), *spirit of enterprise*

Untertan (m), *subject*

ununterbrochen, *uninterrupted*

unvergleichlich, *incomparable*

unvermeidlich, *unavoidable*

unvermerkt, *unnoticed*

unvernünftig, *unreasonable, absurd*

Unverschämtheit (f), *effrontery, impudence*

unversehrt, *unharmed*

Unverstand (m), *lack of understanding, foolishness*

unverständlich, *incomprehensible*

unverwandt, *fixed(ly), without turning aside*

unvorsichtig, *careless*

unweigerlich, *inevitable*

unwiderstehlich, *irresistible*

unwillkürlich, *involuntary, instinctive*

unwirsch, *cross, surly, rude*

unwissend, *ignorant*

Unzahl (f), *immense number, no end*

unzählig, *innumerable*

unzerstörbar, *indestructible*

Unzufriedenheit (f), *discontent, dissatisfaction*

unzulänglich, *inadequate*

üppig, *sumptuous, voluptuous*

uralt, *ancient*

Urlaub (m), *holiday, leave*

vag, *vague*

väterlich, *paternal*

Vati (m), *Daddy*

Veilchen (n), *violet*

Venedig, *Venice*

verabfolgen, *consign*; einem etwas verabfolgen, *let somebody have something, dose somebody with something*

verabschieden, *dismiss*

verachten, *despise*

Verachtung (f), *contempt*

verachtungswürdig, *contemptible*

verängstigen, *terrify*

veranlagt, *suited; cut out for*

veranstalten, *arrange, organize*

Verantwortung (f), *responsibility*

Verbeugung (f), *bow*

verbittert, *embittered*

Verborgenheit (f), *concealment, secrecy; seclusion*

verbrennen, *burn*

verbringen, *pass, spend*

verdächtig, *suspect*

verdächtigen, *suspect*

Verdächtigung (f), *insinuation, casting of suspicion*

verdanken, *owe*

Verdrehung (f), *distortion*

verdüstern (refl.), *become clouded*

verehrungswürdig, *worthy of respect*

vereinigen, *unite*

verfallen, *decay, decline; auf etwas verfallen, hit upon something, come upon something*

verfaulen, *rot, putrefy*

verfliegen, *vanish, disappear*

verflixt (= verflucht), *cursed; verflixt noch mal, damn it all!*

verfügen, *decree, ordain; dispose (of); (refl.), proceed, betake oneself (to)*

Verfügung (f), *disposal; einem zur Verfügung stellen, place at someone's disposal*

vergangen, *past, previous*

Vergänglichkeit (f), *transience*

vergeblich, *in vain*

vergehen, *pass by*

Vergeudung (f), *squandering*

vergießen, *shed, pour*

vergnügt, *pleased, contented*

vergnügungssüchtig, *pleasure-seeking*

vergraben, *bury, conceal*

Verhältnis (n), *circumstance; relationship; proportion*

verhältnismäßig, *relatively*

verhalten, *suppress; (refl.), behave, conduct oneself, be the position, be the case*

Verhaltungsmaßregel (f), *rule for behaviour*

verhängen, *drape, hang, cover over, conceal*

verharren, *remain, linger*

verheiraten (refl.), *get married*

Verheiratung (f), *marriage*

verhelfen, *help, assist*

Verhör (n), *hearing, interrogation*

Verkäufer (m), Verkäuferin (f), *vendor, salesman, saleslady*

Verkehr (m), *traffic; business; Verkehrsdinge (n. plur.), travelling matters*

verkehren, *consort (with), associate (with)*

verknittert, *lined, wrinkled*

verkünden, *announce*

verkürzen, *shorten, diminish*

verladen, *load*

Verlaß (m), *reliability; Verlaß ist auf ihn, he (it) can be trusted*

Verlaub; mit Verlaub, *by your leave, with your kind permission*

verlaufen, *turn out, take (its) course*

Verlegenheit (f), *embarrassment*

verletzen, *injure, offend*

verliebt, *in love (with)*

Verliebtheit (f), *infatuation, love-sickness*

Verlies (n), *dungeon*

verloben, *engage, betroth*

Verlobung (f), *betrothal, engagement*

verlöschen, *extinguish, grow lifeless*

vermeinen, *suppose, imagine*

vermerken, *note*

vermessen (refl.), *venture, dare*

vermissen, *miss*

vermittels (= mittels), *by means of*

vermöge, *by virtue of*

vernehmen, *hear*

Verneigung (f), *bow*

Vernichtung (f), *destruction*

vernickeln, *(plate with) nickel*

vernünftig, *sensible*
verpacken, *wrap, pack, stow*
verpflichten, *oblige*
verraten, *betray; indicate*
verrückt, *mad*
versagen, *be found wanting*
Versammlung (f), *gathering, assembly*
versäumen (refl.), *delay, be late*
verschämt, *bashful, confused*
verschärfen, *sharpen*
verschicken, *send away*
Verschiebung (f), *soft pedal; shifting, removal, delay*
verschlucken, *mumble, swallow*
verschmähen, *scorn*
verschossen, *struck on, taken up with*
verschrumpfen, *shrink, shrivel up*
verschweigen, *conceal, keep dark*
Verschwendung (f), *wastefulness*
verschwommen, *indistinct, vague*
versetzen, *put; put in a wrong place*
versieren, *train, drill*
versinken, *sink*
verspätet, *late, belated*
Verspätung (f), *delay, lateness;* mit dreistündiger Verspätung, *three hours late*
Verstand (m), *reason, mind; common sense*
Verständigung (f), *arrangement, agreement, understanding*
Verständlichkeit (f), *intelligibility*
Verständnis (n), *understanding, appreciation*
verstauen, *stow (into), stuff (into)*
verstecken, *hide, conceal*
verstreichen, *slip by*
verstreuen, *scatter*
vertauschen, *exchange*
vertiefen (refl.), *become immersed (in)*
Vertraulichkeit (f), *familiarity*
verträumt, *dreamy*
vertraut, *familiar*
verüben, *commit, perpetrate*
verursachen, *cause*

Verwahr (n), (= Verwahrung, f), *custody, guard*
verwandt, *related;* Verwandte(r) (m), *relation, relative*
verwehren, *prevent*
verweilen, *linger, stay*
verwirren, *confuse*
Verwirrung (f), *confusion*
verwittert, *weather-beaten*
verwöhnen, *spoil, pamper*
verzeihen, *forgive, pardon*
verzeihlich, *pardonable*
Verzeihung (f), *forgiveness, pardon*
verzerren, *distort*
Verzicht (m), *renunciation, abandonment;* unter Verzicht auf, *by abandoning*
verzichten, *renounce, forego*
verziehen (refl.), *withdraw, disappear*
verzweifelt, *desperate, despairing*
Vieh (n), *cattle*
Viertel (n), *quarter; district*
Virtuose (m), *virtuoso, performer*
vollends, *besides, moreover*
Vollendung (f), *perfection*
vollessen (refl.), *eat one's fill*
vollführen, *execute, carry out*
voran, *at the head, in front*
voraneilen, *hurry ahead*
vorarbeiten, *prepare (for), pave the way (for)*
voraus/-sagen, *predict.* -setzen, *assume, take for granted*
vorbei, *past, over*
vorbeikommen, *come past*
Vorbereitung (f), *preparation*
vorbeugen, *prevent;* (refl.), *bend forward*
Vorbote (m), *early sign, harbinger*
vorder(e), *front*
vorenthalten, *keep back, withhold*
Vorfall (m), *incident, event*
Vorführung (f), *presentation, show*
vorgeben, *claim, pretend*
vorgehen, *advance, go forward*

vorgeschritten, *advanced*

Vorhang (m), *curtain*

vorlegen, *display, show*

Vormittag (m), *morning*

vorn(e), *in front*; nach vorn, *to the front*; von vorn, von vornherein, *afresh, all over again*

Vorname (m), *Christian name*

vornehm, *elegant, genteel*

vornehmen, *undertake*; (refl.), *decide, make up one's mind*

Vornehmheit (f), *gentility, superiority*

Vorrat (m), *stock, store*

Vorsicht (f), *caution*

vorsichtig, *careful*

vorsingen, *sing (before company)*

Vorstand (m), *director*

vorstellen (refl.), *imagine*

vorstellig; vorstellig werden, *make representations*

Vorstellung (f), *idea, notion; imagination; introduction; performance*

vortäuschen, *conjure up, create an illusion (of)*

vortreten, *stand out, be prominent*

vorübereilen, *hurry past*

vorübergehend, *passing, temporary*

vorüber/-kommen, *come past.* -tragen, *carry across*

vorwerfen, *reproach*

vorzeigen, *exhibit, show*

vorzeiten, *once upon a time, formerly*

vorzeitig, *premature*

vorziehen, *prefer*

Waage, Wage (f), *pair of scales, weighing machine*

Wachgruppe (f), *group of attendants*

wachhalten, *keep awake*

wachsam, *vigilant*

wachsen, *grow*; er hat noch ein Ende zu wachsen, *he has still a long way to develop*

wächsern, *waxen, like wax*

Wächter (m), *attendant, guard, keeper*

Wachtmeister (m), *sergeant-major*

Wachzeit (f), *period of supervision*

wackeln, *shake*

wacker, *brave, worthy*

Wagen (m), *carriage, coach; car*

wägen, wiegen, *weigh*

Waggon (m), *railway-carriage, truck*

wählen, *choose, pick; elect*; gewählt, *choice, refined*

wahrnehmen, *observe, be aware*

Wahrzeichen (n), *distinctive mark*

Walddorf (n), *forest village*

Wall (m), *rampart*

wandeln, *walk*

Wanderleben (n), *roving life*

wandern, *wander, move*

Wand/-schirm (m), *folding-screen.* -schränkchen (n), *little cupboard.* -spiegel (m), *wall-mirror*

Wange (f), *cheek*

wanken, *wobble, rock*

warten, *wait*; er läßt auf sich warten, *he keeps people waiting for him*

Warteräumchen (n), *little waiting-room*

Waschbecken (m), *hand-basin*

Watten/-meer (n), *shallows (visible at low tide).* -strand (m), *beach (covered by water at high tide)*

Wegbiegung (f), *bend of the road*

weg/-geben, *give away.* -gehen, *go away.* -laufen, *run away.* -sehen, *look away. see.* -wenden (refl.), *turn away.* -werfen *throw away*

weh, *painful, sore*; weh sein, *feel miserable*; weh tun, *cause pain, pain, hurt*

wehen, *blow; wave*

Weibel (m), *bailiff*

wehren, (refl.) *resist*

weiblich, *female*

Weiche (f), *point, set of points (on railway-track)*

weichen, *yield, give way (to)*

Weihnachten (f. plur.), *Christmas*

weinerlich, *tearful*

Weisheit (f), *wisdom*

weißseiden, *white-silk*

Weißwarenladen (m), *draper's shop*

weit, *wide, broad; far;* es weit bringen, *get on (in the world);* ohne weiteres, *immediately, without further ado*

weitausholend, *far spreading*

Weite (f), *distance;* (n), es geht ins Weite, *that's beyond all bounds; the long journey starts.*

Weiterbeförderung (f), *further despatchment*

weitergehen, *go on, continue*

weithin, *in the distance*

Weltauffassung (f), *attitude to life, philosophy*

weltlich, *worldly*

Weltstadt (f), *capital city, large city*

Wendeltreppe (f), *winding staircase*

Wendung (f), *phrase*

wennschon, wenn schon, *even though; if that is so*

Werkzeug (n), *tool*

Werst (f), *verst (ca. 1170 yards)*

wertvoll, *valuable*

Weser-Werft (f), *dockyard by the (river) Weser*

Westländer (m), *person from the West*

wichsen, *wax, polish*

Wicht (m), *little fellow, mannikin*

widerlegen, *refute*

widerstehen, *resist*

wieder/-beehren, *honour again (with a visit).* -finden, *find again.* -holen, *repeat*

Wiese (f), *meadow*

willensstark, *determined*

Wimpel (m), *pennant, streamer*

Wimper (f), *eyelash*

Windzug (m), *gust of wind*

Winkel (m), *corner; angle*

winken, *make a sign; beckon, wave*

winzig, *tiny*

wippen, *rock, see-saw*

Wirbel (m), *whirl, whirlpool*

wirken, *act (upon), make an impression*

wirksam, *effective*

Wirtschaft (f), *inn*

Wirts/-garten (m), *inn garden.* -haus (n), *inn, public house*

wischen, *wipe*

Witwe (f), *widow*

Witz (m), *joke*

wogen, *undulate, roll*

wohlbekannt, *well known, familiar*

Wohlergehen (n), *prosperity, well-being*

wohl/-erzogen, *well brought up.* -feil, *cheap.* -gefällig, *complacent; agreeable.* -gelungen, *successful.* -gesinnt, *well disposed, well meaning.* -habend, *prosperous, well-to-do*

wohlig, *easy, comfortable*

wohl/-meinend, *well-meaning.* -tuend, *comforting; beneficent.* -wollend, *benevolent*

wölben, *vault, arch*

Wolke (f), *cloud*

Wolle (f), *wool*

womöglich, *if possible*

Wonne (f), *bliss*

Wonneschauer (m), *thrill of delight*

wörtlich, *word for word, literally*

Wortschatz (m), *vocabulary*

Wunderkind (n), *infant prodigy*

wunderlich, *peculiar, curious*

wundern, *surprise;* (refl.), *be surprised*

wundernehmen, *astonish, arouse surprise*

wunderschön, *very beautiful*

wünschenswert, *desirable*

Würdelosigkeit (f), *lack of dignity*

würdigen, *appreciate*

Würdigung (f), *appreciation*

wurzeln, *be rooted*

Wüste (f), *desert*
Wut (f), *rage, anger*
wütend, *furious, angry*

Zähigkeit (f), *tenacity, toughness*
zappeln, *dangle*
Zar (m), *Czar*
Zärtlichkeit (f), *tenderness, fondness*
zartsinnig, *delicate in feeling*
z.B. (= zum Beispiel), *e.g., for example*
zehrend, *grief-stricken*
Zeichentafel (f), *blackboard*
Zeigefinger (m), *index-finger*
Zeitlang (f); (für) eine Zeitlang, *for a while, for a time*
zerbröckeln, *crumble away*
zerfetzen, *slash to pieces*
zermalmen, *crush, smash (up)*
zerquetschen, *squash, turn to pulp*
zerreißen, *tear up; tear to pieces*
zerschlissen, *torn (to ribbons), slit*
zertreten, *crush, tread on*
zertrümmern, *wreck, destroy*
Zeug (n), *material, textile goods; thing, stuff;* sich für ihn ins Zeug legen, *intervene on his behalf, set to on his account;* dummes Zeug, *nonsense*
Zeuge (m), *witness*
Zeugnis (n), *reference, testimonial*
ziehen, *pull, draw; go, fly; drift; sound, ring (of a bell); take off (a hat, cap)*
zierlich, *graceful*
Ziffer (f), *number, figure*
Zikade (f), *cricket*
zirpen, *chirp*
zischen, *hiss*
zögern, *hesitate*
zollen, *show, pay*
zornig, *angry*
Zubehör (f), *accessories, appurtenances*
zublinzeln, *wink at, cast an eye towards*
Zucht (f), *discipline, order*

zucken, *flash, start; move*
Zucker (m), *sugar*
zudem, *besides, moreover*
zuerfinden, *invent and add on*
zufällig, *chance*
zuflüstern, *whisper to*
zufriedenstellen, *satisfy*
Zug (m), *train; trait (of character)*
Zugabe (f), *encore*
zugänglich, *accessible*
zugehen, *happen, take place*
zugesellen, *join*
Zugeständnis (n), *concession*
zugestehen, *concede*
Zugführer (m), *chief guard (of a train)*
zuhören, *listen*
Zuhörer (m), *listener*
zuknöpfen, *button up*
zukommen, *be due (to), belong (to)*
zumeist, *mostly*
zumindest, *at least*
zumuten, *expect, ask*
Zumutung (f), *unreasonable demand*
zündend, *inflammatory, stirring*
zunehmen, *increase, advance*
Zunge (f), *tongue*
zunicken, *nod to*
zupacken, *make a grab, stretch out (one's) hands*
zupfen, *pluck, pull*
Zurechtweisung (f), *reprimand*
zureden, *persuade, talk (someone) over*
zurück/-binden, *tie back.* -bleiben, *remain behind.* -denken, *think back.* -eilen, *hurry back.* -gehen, *go back; deteriorate, fall off*
zurückhaltend, *reserved*
zurück/-kehren, *return.* -scheuen, *fight shy (of), shun.* -schieben, *push back.* -schlagen, *throw back.* -sinken, *sink back.* -spedieren, *send back.* -stehen, *be behind, be inferior to.* -treten, *withdraw.* -werfen, *throw back*

zusammen/-fügen, *put together, construct.*
-klappen, *fold up.* -kommen, *come together.* -laufen, *run together.* -legen, *fold,* -pferchen, *pen together, crowd together.* -rücken, *push together.* -schrekken, *give a start.* -setzen (refl.), *sit down together.* -tragen, *carry together.* -ziehen, *draw together.* -zucken, *jerk together, start*

zuschauen, *watch*

Zuschauer (m), *spectator, observer*

Zuschauerschaft (f), *spectators, audience*

zuschreiten, *step towards*

zusehen, *watch, look at*

Zuspruch (m), *circle of customers*

zustecken, *slip, pass as a present*

zusummen, *hum to (someone)*

zutrauen, *put trust in, rely on (for)*

Zutrauen (n), *confidence; trust*

zutreffen, *be correct*

zuunterst, unterst, *at the bottom, lowest*

Zuwachs (m), *increase, enlargement*

zuwenden, *turn to*

zuwerfen, *throw, cast*

zuwider, *contrary to*

zuwinken, *nod (to), beckon (to)*

zuziehen, *draw to, close*

Zwang (m), *compulsion*

zweifellos, *doubtless*

Zwicker (m), *pince-nez*

Zwilchhose (f), *trousers of coarse linen*

Zwinger (m), *fortified castle; 18th century monumental square in Dresden*

Zwist (m), *quarrel*

Zylinder (m), *top-hat; cylinder*